Classiques Bordas

Les Femmes savantes

MOLIÈRE

Ouvrage publié sous la direction de
BERNARD CHÉDOZEAU

Édition présentée par
MICHEL BORRUT
Agrégé de Lettres modernes

www.universdeslettres.com

Voir « **LE TEXTE ET SES IMAGES** » p. 154
pour l'exploitation de l'iconographie de ce dossier.

1. Eustache Le Sueur (1616-1655), *Uranie*. (Musée du Louvre, Paris.)

LA MUSE
ET LA SAVANTE INCONNUE

2. *Portrait d'une inconnue, femmes savante*, anonyme, XVIIIe siècle. (Musée national du Château, Versailles.)

3. I. Humbelot, *La Géométrie*, gravure, vers 1650. (Bibliothèque nationale de France, Paris.) ▶

4. *Enluminure pour Christine de Pizan*, anonyme, *Le Livre de la cité des Dames*, vers 1405. (Bibliothèque nationale de France, Paris.)

5. Louis-Michel Dumesnil (1680-1746), *Christine de Suède et sa cour*, détail. (Musée national du Château, Versailles.)

LA FEMME SELON PHILAMINTE ?

LA FEMME SELON CHRYSALE ?

6. *La Maison de Saint-Cyr*, anonyme, détail, XVIIe siècle. (Musée Carnavalet, Paris.)

7. Louise Moillon (1610-1696), *La Marchande de fruits et légumes*, 1630. (Musée du Louvre, Paris.)

8. Pieter de Hooch (1629-1684), *Jeune femme et sa servante.* (Musée des Beaux-Arts, Lille.)

9. Jean-Luc Boutté (Trissotin), Catherine Ferran (Armande), Denise Gence (Bélise) et Françoise Seigner (Philaminte) dans la mise en scène de Jean-Paul Roussillon, Comédie-Française, 1982.

10. Sonia Vollereaux (Henriette), Isabelle Bucaille (Armande), Jean-Pierre Barlier (Trissotin), Nelly Borgeaud (Philaminte) et Pascale de Boysson (Bélise) dans la mise en scène de Françoise Seigner, théâtre de Boulogne-Billancourt, 1986.

11. Marie-Armelle Deguy (ARMANDE), Catherine Ferran (PHILAMINTE), Catherine Sanie (BÉLISE) et Alain Pralon (TRISSOTIN) dans la mise en scène de Catherine Hiégel, la Comédie-Française au théâtre de la Porte Saint-Martin, 1987.

LE POÈTE ET SA COUR

12. Monique Chaumette (ARMANDE), Zanie Campan (BÉLISE), Georges Wilson (PHILAMINTE), Philippe Noiret (VADIUS) et Georges Riquier (TRISSOTIN) dans la mise en scène de Jean Vilar, théâtre Récamier, Paris, 1960.

13. Alain Pralon (TRISSOTIN), Jean-Yves Dubois (CLITANDRE) et Catherine Ferran (PHILAMINTE) dans la mise scène de Catherine Hiégel, la Comédie-Française au théâtre de la Porte Saint-Martin, 1987.

14. Françoise Gillard (HENRIETTE) et Alain Lenglet (CLITANDRE) dans la mise en scène de Simon Eine, Comédie-Française, 1998.

15. François Caron (CLITANDRE) et Béatrice Agenin (ARMANDE) dans la mise en scène de Béatrice Agenin, Théâtre 13, 2000.

16. Paul-Émile Deiber (CHRYSALE) et Nelly Borgeaud (PHILAMINTE) dans la mise en scène de Françoise Seigner, théâtre de Boulogne-Billancourt, 1986.

17. Michel Favory (CHRYSALE) et Claire Vernet (PHILAMINTE) dans la mise en scène de Simon Eine, Comédie-Française, 1998.

18. Henri Poterlet (1803-1835), *Dispute de Trissotin et de Vadius*, 1831. (Musée du Louvre, Paris.)

REGARDS SUR L'ŒUVRE

1610	1643	1661	1715
HENRI IV	LOUIS XIII	MAZARIN	LOUIS XIV

1606 CORNEILLE 1684

1621 LA FONTAINE 1695

1622 MOLIÈRE 1673

1639 RACINE 1699

1645 LA BRUYÈRE 1696

ŒUVRES DE MOLIÈRE

1646 *La Jalousie du Barbouillé*
1655 *L'Étourdi*
1656 *Le Dépit amoureux*
1659 *Les Précieuses ridicules*
Le Médecin volant
1660 *Sganarelle ou le Cocu imaginaire*
1661 *Dom Garcie de Navarre*
L'École des maris
Les Fâcheux
1662 *L'École des femmes*
1664 *Le Mariage forcé*
La Princesse d'Élide
Le Tartuffe (première version)
1665 *Dom Juan*
L'Amour médecin
1666 *Le Misanthrope*
Le Médecin malgré lui
1667 *Le Sicilien ou l'Amour peintre*
L'Imposteur (deuxième version du *Tartuffe*)
1668 *Amphitryon*
George Dandin
L'Avare
1669 *Monsieur de Pourceaugnac*
Le Tartuffe (troisième version)
1670 *Les Amants magnifiques*
Le Bourgeois gentilhomme
1671 *Les Fourberies de Scapin*
La Comtesse d'Escarbagnas
1672 ***Les Femmes savantes***
1673 *Le Malade imaginaire*

LIRE AUJOURD'HUI *LES FEMMES SAVANTES*

Faut-il que les femmes étudient ? Déjà le poète latin Juvénal ne supportait pas celle « qui, à peine à table, loue Virgile [...], met les poètes en parallèle, les compare » *(Satire VI)*. Au XIXe siècle, Balzac écrit un essai *Contre l'instruction donnée aux femmes.* Un siècle plus tard, François Mauriac s'élève dans *L'Éducation des filles* contre le « bas-bleu », la femme savante, selon lui coquette hypocrite. Aujourd'hui, les dernières places fortes des hommes – École polytechnique, Académie française, gouvernement – tombent. Est-ce donc la victoire posthume des femmes savantes ? Ce n'est pas si simple. Il s'agit souvent de succès isolés, et se développe un mouvement de retour à des rôles traditionnels : la femme au foyer, l'homme au travail.

C'est dans cette problématique, très actuelle, que s'inscrit *Les Femmes savantes.* On y voit en effet un bourgeois reprocher à sa femme de préférer l'étude à sa maison ; une fille aînée reprocher à sa sœur de préférer le mariage à la philosophie ; des femmes, par amour de la science, mal juger et mal aimer.

Dans cette pièce jouée pour la première fois en 1672, Molière règle aussi des comptes avec des écrivains précis, des milieux à la mode (*cf.* p. 158) ; il utilise l'expérience de ses pièces précédentes, des *Précieuses ridicules* en particulier. Il livre ainsi une comédie multiple qui aurait aussi bien pu s'appeler *Les Tricheurs*, car finalement tous les personnages sont suspects de dissimulation, de mensonge ; une comédie où le rire, le sourire ne protègent pas le public, ne lui évitent pas de se mettre en question, parfois même le gênent.

Voici donc une pièce trop mûrie pour être un amusement de circonstance, trop souriante pour être une pièce à thèse, trop cruelle pour ne pas traduire un fort engagement de Molière, trop éloquente sur l'amour, le pouvoir, l'éducation pour ne pas aujourd'hui encore être actuelle.

REPÈRES

L'AUTEUR : Molière.

PREMIÈRE REPRÉSENTATION : 11 mars 1672.

LE GENRE :

Ni farce ni comédie-ballet, mais une « grande comédie » dans la lignée de *L'Avare* ou de *L'École des femmes.*

LE CONTEXTE :

Molière n'a plus proposé de grande comédie depuis quatre ans, date de l'échec de *L'Avare*. Il est malade.

LA PIÈCE :

• **Forme et structure** : cinq actes en alexandrins, vingt-huit scènes, une dizaine de personnages (une cellule familiale : deux sœurs, leurs parents, le frère du père et la sœur de la mère, une servante, un prétendant et deux pédants, un valet).

• **Lieu et temps** : la scène se passe à Paris, dans un appartement bourgeois, à l'époque de Molière.

• **Personnages** : Philaminte, maîtresse femme, femme savante n'a pas pour autant un jugement infaillible ; Chrysale, son mari, a peur d'elle, il a un bon sens épais et le souci du confort ; leurs filles : l'aînée Armande est pédante et coincée, la cadette Henriette raisonnable et amoureuse ; Ariste est un oncle lui aussi raisonnable, Bélise une tante folle, Martine une servante pleine de bon sens, Clitandre un jeune homme équilibré. Trissotin et Vadius deux pédants vaniteux et opportunistes.

• **Intrigue** : Henriette parviendra-t-elle à épouser Clitandre malgré la faiblesse du soutien paternel, l'hostilité de sa sœur, l'aveuglement et l'intransigeance de sa mère, la détermination de Trissotin ?

Gravure de Jean Sauvé, d'après Pierre Brissart pour le frontispice des *Femmes savantes*, 1682. (Bibliothèque nationale de France, Paris.)

LES ENJEUX :

Une pièce satirique où il s'agit de défendre les vrais poètes et la Cour contre les imposteurs de toute sorte, qu'ils soient pédants ou femmes savantes. Une boucle commencée avec la farce des *Précieuses ridicules* se ferme.

MOLIÈRE
ET *LES FEMMES SAVANTES*

ENFANCE

1622 : Jean-Baptiste Poquelin naît à Paris. Sa mère meurt en 1632. Son père est depuis 1631 « tapissier ordinaire du roi ».

Jean-Baptiste étudie au célèbre collège jésuite de Clermont. Il y fréquente les fils de la noblesse et de la meilleure bourgeoisie, il se lie avec Claude-Emmanuel Lhuillier dit Chapelle et Savinien de Cyrano de Bergerac, futurs écrivains et esprits libertins. Son grand-père l'emmène au théâtre de l'Hôtel de Bourgogne. La troupe, alors « Troupe royale », est avec celle du Marais la plus réputée pour l'époque. Elle joue des farces mais aussi de plus en plus des pièces raffinées, plus écrites (Rotrou, les frères Corneille). Le jeune homme découvre également, sur leurs tréteaux ambulants, les comédiens de foire, dont l'extraordinaire jeu corporel, l'ingéniosité, l'inventivité compensent l'absence de décor, de moyens véritables, et « transforment le badaud en spectateur » (Alfred Simon). Il admire surtout l'Italien Scaramouche qui, plus tard, sera son ami et influencera son jeu.

Cependant, son père veut que Jean-Baptiste lui succède. Il l'engage dans des études de droit. Jean-Baptiste obtient sa licence, devient avocat. Mais que pèsent la volonté paternelle et un avenir bourgeois auprès d'une passion : le théâtre ; d'un amour : Madeleine Béjart, comédienne de 22 ans rencontrée à 18 ans ?

LES VOYAGES INITIATIQUES OU « LE COMÉDIEN ERRANT »

1643 : c'est l'année des choix ; le 6 janvier, Jean-Baptiste renonce à la charge de son père ; le 30 juin, avec neuf amis, il fonde L'Illustre-Théâtre qui se produit d'abord à Rouen.

1644 : le 1er janvier, L'Illustre-Théâtre ouvre à Paris. Il représente des tragiques. Sans succès. Les ennuis se multiplient : des comédiens quittent la troupe, Jean-Baptiste, devenu Molière, va en prison pour dettes. L'Illustre-Théâtre est mort.

1645-1658 : Molière et Madeleine s'engagent dans la troupe de Dufresne. Ils parcourent la province, l'Ouest, les villes du Languedoc et la vallée du Rhône surtout. Les comédiens séjournent longtemps dans des villes ; les affaires ne sont pas mauvaises, la troupe – dont Molière est le chef incontesté depuis 1650 – est protégée par des personnages importants, le duc d'Épernon puis le prince de Conti jusqu'à sa conversion en 1655.

Depuis 1654, Molière écrit ses premiers textes : des canevas de farces, comme *L'Étourdi* joué à Lyon fin 1654. Acteur, directeur de troupe, auteur enfin, Molière est maintenant un homme de théâtre complet. Il peut revenir à Paris.

LA GLOIRE ET LES OMBRES

1658 : le 24 octobre, la troupe, désormais Troupe de Monsieur, frère du roi, joue devant Louis XIV. La farce du *Docteur amoureux* amuse le roi. Molière se voit confier le théâtre du Petit-Bourbon, en alternance avec les Comédiens-Italiens jusqu'en 1659, date de leur retour en Italie. L'échec des représentations tragiques, le succès de *L'Étourdi*, du *Dépit amoureux*, le triomphe des *Précieuses ridicules* lui ouvrent définitivement la voie de la comédie.

1660 : le Petit-Bourbon est détruit. Molière et sa troupe emménagent dans le modeste théâtre du Palais-Royal. Le nomade a enfin trouvé sa maison, l'entreprise Molière prospèrera jusqu'à la mort de son fondateur.

1662 : *L'École des femmes*. Ce nouveau succès confirme une qualité que tous reconnaissent alors au dramaturge : « il sait ce qu'il faut faire pour réussir », choisir le sujet « qui v[ient] le mieux au temps » (Donneau de Visé). En plaisant à la Cour et à la Ville, en saisissant l'air du siècle, Molière incarne son époque, il en devient « le véritable portraitiste » (G. Defaux).

Les difficultés pourtant ne manquent pas. Notre auteur subit les coups bas des rivaux. La querelle de *L'École des femmes* est à cet égard exemplaire : « mille jaloux esprits » selon Boileau – un écrivain aigri et vieillissant comme Corneille, la troupe officielle des Grands Comédiens, de jeunes auteurs ambitieux comme Donneau de Visé – se lèvent alors contre celui qui n'en reste plus à la farce. Il connaît aussi la défection, presque la trahison, du jeune Racine, les calomnies diverses. Mais cela n'est rien encore !

1664 : c'est l'année de la véritable rupture. *Le Tartuffe*, pièce centrée sur un hypocrite religieux, ne saurait être consensuelle. Molière a désormais des ennemis puissants. Il doit affronter la terrible cabale des dévots, la confrérie du Saint-Sacrement dont fait désormais partie le prince de Conti. Il est accusé d'impiété et de libertinage, et sa pièce est interdite pendant plus de cinq ans. *Dom Juan*, joué en 1665, malgré un succès initial et sans être officiellement interdit, est retiré sous les pressions. Les années 1665-1668 sont difficiles. Des malentendus naissent entre Molière et son public. *Le Misanthrope* pouvait plaire à l'ami, au poète Boileau, mais fut mal accueilli par le gros des spectateurs. *Amphitryon*, *George Dandin* et *L'Avare* n'eurent guère plus de succès. Il fallut attendre 1670, *Tartuffe* enfin joué – et triomphalement – pour que la relation se rétablisse. Mais l'hostilité de l'Église accompagne toujours Molière.

Sur le plan personnel, Molière, qui a épousé en 1662 Armande Béjart – sa cadette de 20 ans –, perd un fils, voit ses relations avec sa femme se détériorer, sa vie privée attaquée. Des deuils le frappent : son père meurt en 1669, Madeleine Béjart en 1672. La maladie le gagne dès 1666.

Cependant, il possède deux atouts inégalables. Le premier est le soutien presque sans faille de Louis XIV : la troupe de Monsieur devient Troupe du Roi en 1665, et le monarque reste « son maître, son refuge, son point d'appui » selon Ramon Fernandez qui voit en Molière une sorte de « secrétaire d'État au ridicule ».

Le second est son génie. Si Molière saisit les mœurs de son temps, et en fait rire au point de fasciner la Cour et la Ville, il perçoit aussi les changements d'humeur, les lassitudes, les engouements nouveaux d'un public qu'il sait si souvent comprendre et satisfaire. L'homme des farces, des grandes comédies devient celui des comédies-ballets, de ces spectacles tourbillonnants, un peu fous, si joyeux, où interviennent la musique, la danse, les grandes machineries. Ainsi naît le succès des *Amants magnifiques*, de *Monsieur de Pourceaugnac*, du *Bourgeois gentilhomme* surtout.

Pourtant, dès 1672 le roi lui préfère le musicien Lulli ; Molière est obligé de jouer *Le Malade imaginaire* en ville, et non plus à la Cour. Le 17 février 1673, lors de la quatrième représentation, il est pris de malaise. Un an jour pour jour après la mort de Madeleine, il meurt chez lui. Faute de ne pas avoir renié sa vie de comédien devant un prêtre, il ne devrait pas reposer en terre chrétienne. Le roi lui-même doit alors intervenir. L'enterrement aura donc lieu mais de nuit. En 1680, le roi fond en une seule la troupe de Molière et celle du Marais. La Comédie-Française est née.

LES FEMMES SAVANTES

Depuis l'échec de *L'Avare* en 1668, Molière semble s'éloigner de la comédie classique (p. 168). Il se consacre surtout aux comédies-ballets, il s'intéresse aux spectacles à machines, aux fêtes de la Cour où le roi lui-même joue. C'est une source de nouvelles réussites. *Les Femmes savantes*, pièce montée en 1672, semble donc à contre-courant. C'est pourquoi des critiques la croient d'une conception bien antérieure. Pour Donneau de Visé, Molière y travaillait depuis 1668 ; Adam voit la pièce « faite dès la fin de 1670 ». Elle serait restée en réserve jusqu'en 1672. À cette date, Lulli obtient un monopole sur les spectacles chantés. Dans l'impossibilité alors de représenter des comédies-ballets, Molière se serait décidé à la jouer.

Mais cela montre également que le sujet lui tient à cœur et a été mûri, que le temps de la rédaction ne lui a pas été compté, bref que cette « grande comédie » en cinq actes et en vers est dans la ligne de *Tartuffe* et du *Misanthrope*. Aussi d'autres critiques voient-ils au contraire dans cette pièce l'achèvement d'une évolution de Molière. Ces femmes savantes rappellent les « précieuses » de 1659 qui, déjà punies pour leur extravagance, furent son premier véritable succès ; mais elles incarnent aussi l'excès inverse de celui d'Arnolphe qui, dans *L'École des femmes*, crut s'assurer de la fidélité d'Agnès en la maintenant dans l'ignorance. Elles participent en fait d'une continue « esthétique du ridicule » (P. Dandrey) comme d'une continue exploration des passions, voire des monomanies.

En outre, les figures des pédants permettent à Molière de régler des comptes littéraires. On vérifie ainsi que pour lui, le théâtre n'est pas seulement l'occasion d'« instruire et de plaire », mais aussi de se défendre, voire d'attaquer. Faire rire est une arme polémique terrible.

Avec Chrysale enfin, s'enrichit la figure du bourgeois qui traverse toutes ses pièces, de Sganarelle (celui du *Cocu imaginaire*) à Arnolphe, d'Harpagon à Argan, figure que toujours Molière incarna, comme s'il n'avait rompu avec sa classe originelle que pour mieux la faire vivre et être habité par elle.

La pièce fut bien reçue. Mme de Sévigné, qui assista à une lecture privée, la trouva « fort plaisante ». Le roi dit qu'elle « était très bonne et qu'elle lui avait fait beaucoup de plaisir. Molière n'en demandait pas davantage, assuré que ce qui plaisait au roi était bien reçu des connaisseurs, et assujettissait les autres » (Grimarest). Sa création au Palais-Royal, le 11 mars 1672, fut une réussite. Les gens informés s'amusaient à reconnaître les pédants véritables derrière les masques de Trissotin et Vadius, plus largement le public prenait plaisir à cette nouvelle satire inspirée par le sujet toujours polémique de l'éducation et de l'émancipation féminines.

Si après la relâche de Pâques 1672 le succès faiblit, la pièce sera néanmoins jouée le 11 août devant Monsieur, et le 17 septembre devant le roi à Versailles.

Depuis la mort de Molière, le succès des *Femmes savantes* a été constant. La première édition complète de ses œuvres (1682) la range avec *Le Misanthrope* et *Tartuffe* parmi ses « meilleures comédies », ces « chefs-d'œuvre qu'on ne saurait jamais assez admirer ». C'est, avec *L'Avare* et *Tartuffe*, la pièce la plus jouée à la Comédie-Française : 1 969 représentations au 31 décembre 1990.

Portrait de Molière par Claude Lefèbvre.
(Paris, bibliothèque-musée de la Comédie-Française.)

Les Femmes savantes

MOLIÈRE

comédie

représentée pour
la première fois à Paris
sur le Théâtre du Palais-Royal
le 11 du mois de mars 1672
par la Troupe du Roi.

Les personnages

Chrysale	*bon bourgeois.*
Philaminte	*femme de Chrysale.*
Armande	*fille de Chrysale et Philaminte.*
Henriette	*fille de Chrysale et Philaminte.*
Ariste	*frère de Chrysale.*
Bélise	*sœur de Chrysale.*
Clitandre	*amant d'Henriette.*
Trissotin	*bel esprit.*
Vadius	*savant.*
Martine	*servante de cuisine.*
Lépine	*laquais.*
Julien	*valet de Vadius.*
Le notaire.	

La scène est à Paris.

ACTE PREMIER

SCÈNE PREMIÈRE. ARMANDE, HENRIETTE.

ARMANDE

Quoi ! le beau nom de fille est un titre, ma sœur,
Dont vous voulez quitter la charmante douceur,
Et de vous marier vous osez faire fête ?
Ce vulgaire dessein vous peut monter en tête ?

HENRIETTE

5 Oui, ma sœur.

ARMANDE

Ah ! ce oui se peut-il supporter,
Et sans un mal de cœur saurait-on l'écouter ?

HENRIETTE

Qu'a donc le mariage en soi qui vous oblige,
Ma sœur… ?

ARMANDE

Ah ! mon Dieu, fi !

HENRIETTE

Comment ?

ARMANDE

Ah ! fi ! vous dis-je.
Ne concevez-vous point ce que, dès qu'on l'entend,
10 Un tel mot à l'esprit offre de dégoûtant ?
De quelle étrange image on est par lui blessée ?
Sur quelle sale vue il traîne la pensée ?
N'en frissonnez-vous point ? et pouvez-vous, ma sœur,
Aux suites de ce mot résoudre votre cœur ?

HENRIETTE

15 Les suites de ce mot, quand je les envisage,
Me font voir un mari, des enfants, un ménage ;
Et je ne vois rien là, si j'en puis raisonner,
Qui blesse la pensée et fasse frissonner.

ARMANDE

De tels attachements, ô ciel ! sont pour vous plaire ?

HENRIETTE

20 Et qu'est-ce qu'à mon âge on a de mieux à faire,
Que d'attacher à soi, par le titre d'époux,
Un homme qui vous aime et soit aimé de vous,
Et de cette union, de tendresse suivie,
Se faire les douceurs[1] d'une innocente vie ?
25 Ce nœud, bien assorti[2], n'a-t-il pas des appas ?

ARMANDE

Mon Dieu, que votre esprit est d'un étage bas[3] !
Que vous jouez au monde un petit personnage,
De vous claquemurer aux choses du ménage,
Et de n'entrevoir point de plaisirs plus touchants
30 Qu'un idole[4] d'époux et des marmots[5] d'enfants !
Laissez aux gens grossiers, aux personnes vulgaires,
Les bas amusements de ces sortes d'affaires ;
À de plus hauts objets élevez vos désirs,
Songez à prendre un goût des plus nobles plaisirs,
35 Et, traitant de[6] mépris les sens et la matière,
À l'esprit, comme nous, donnez-vous tout entière.
Vous avez notre mère en exemple à vos yeux,
Que du nom de savante on honore en tous lieux ;
Tâchez, ainsi que moi, de vous montrer sa fille,
40 Aspirez aux clartés[7] qui sont dans la famille,
Et vous rendez[8] sensible aux charmantes douceurs
Que l'amour de l'étude épanche dans les cœurs ;
Loin d'être aux lois d'un homme en esclave asservie,
Mariez-vous, ma sœur, à la philosophie,

1. **Se faire les douceurs :** se procurer les douceurs.
2. **Ce nœud bien assorti :** cette union harmonieuse.
3. **D'un étage bas :** de basse espèce, médiocre.
4. **Idole :** genre variable au XVIIe siècle.
5. **Des marmots :** des singes.
6. **De** : par le.
7. **Clartés :** connaissances.
8. **Vous rendez :** rendez vous.

45 Qui nous monte au-dessus de tout le genre humain,
Et donne à la raison l'empire souverain,
Soumettant à ses lois la partie animale,
Dont l'appétit grossier aux bêtes[1] nous ravale.
Ce sont là les beaux feux, les doux attachements,
50 Qui doivent de la vie occuper les moments ;
Et les soins où je vois tant de femmes sensibles
Me paraissent aux yeux des pauvretés horribles.

HENRIETTE

Le Ciel, dont nous voyons que l'ordre est tout-puissant,
Pour différents emplois nous fabrique en naissant ;
55 Et tout esprit n'est pas composé d'une étoffe
Qui se trouve taillée à faire un philosophe.
Si le vôtre est né propre aux élévations[2]
Où montent des savants les spéculations,
Le mien est fait, ma sœur, pour aller terre à terre,
60 Et dans les petits soins son faible[3] se resserre.
Ne troublons point du Ciel les justes règlements,
Et de nos deux instincts suivons les mouvements :
Habitez, par l'essor d'un grand et beau génie,
Les hautes régions de la philosophie,
65 Tandis que mon esprit, se tenant ici-bas,
Goûtera de l'hymen[4] les terrestres appas.
Ainsi, dans nos desseins l'une à l'autre contraire,
Nous saurons toutes deux imiter notre mère :
Vous, du côté de l'âme et des nobles désirs,
70 Moi, du côté des sens et des grossiers plaisirs ;
Vous, aux productions d'esprit et de lumière,
Moi, dans celles, ma sœur, qui sont de la matière.

ARMANDE

Quand sur une personne on prétend se régler,
C'est par les beaux côtés qu'il lui faut ressembler ;

1. **Aux bêtes :** au rang des bêtes.
2. **Élévations :** hautes pensées.
3. **Son faible :** sa faiblesse.
4. **L'hymen :** le mariage.

75 Et ce n'est point du tout la prendre pour modèle,
Ma sœur, que de tousser et de cracher comme elle.

HENRIETTE

Mais vous ne seriez pas ce dont vous vous vantez,
Si ma mère n'eût eu que de ces beaux côtés ;
Et bien vous prend[1], ma sœur, que son noble génie
80 N'ait pas vaqué toujours à[2] la philosophie.
De grâce, souffrez-moi[3], par un peu de bonté,
Des bassesses à qui vous devez la clarté ;
Et ne supprimez point, voulant qu'on vous seconde[4],
Quelque petit savant qui veut venir au monde.

ARMANDE

85 Je vois que votre esprit ne peut être guéri
Du fol entêtement de vous faire un mari ;
Mais sachons, s'il vous plaît, qui vous songez à prendre ;
Votre visée au moins n'est pas mise à[5] Clitandre ?

HENRIETTE

Et par quelle raison n'y serait-elle pas ?
90 Manque-t-il de mérite ? est-ce un choix qui soit bas ?

ARMANDE

Non ; mais c'est un dessein qui serait malhonnête,
Que de vouloir d'une autre enlever la conquête ;
Et ce n'est pas un fait dans le monde ignoré
Que Clitandre ait pour moi hautement soupiré.

HENRIETTE

95 Oui ; mais tous ces soupirs chez vous[6] sont choses vaines,
Et vous ne tombez point aux bassesses humaines ;
Votre esprit à l'hymen renonce pour toujours,
Et la philosophie a toutes vos amours.

1. **Bien vous prend :** vous avez de la chance.
2. **N'ait pas vaqué [...] à :** ne se soit pas occupé de.
3. **Souffrez-moi :** supportez chez moi.
4. **Qu'on vous seconde :** qu'on vous suive (*cf.* le second d'un duel).
5. **Votre visée [...] n'est pas mise à :** vous ne pensez [...] pas à.
6. **Chez vous :** selon vous.

Ainsi, n'ayant au cœur nul dessein pour Clitandre,
100 Que vous importe-t-il qu'on y puisse prétendre ?

ARMANDE

Cet empire que tient la raison sur les sens
Ne fait pas renoncer aux douceurs des encens[1] ;
Et l'on peut pour époux refuser un mérite[2]
Que pour adorateur on veut bien à sa suite.

HENRIETTE

105 Je n'ai pas empêché qu'à vos perfections
Il n'ait continué ses adorations ;
Et je n'ai fait que prendre, au refus[3] de votre âme,
Ce qu'est venu m'offrir l'hommage de sa flamme.

ARMANDE

Mais à l'offre des vœux d'un amant dépité
110 Trouvez-vous, je vous prie, entière sûreté ?
Croyez-vous pour vos yeux sa passion bien forte,
Et qu'en son cœur pour moi toute flamme soit morte ?

HENRIETTE

Il me le dit, ma sœur, et, pour moi, je le crois.

ARMANDE

Ne soyez pas, ma sœur, d'une si bonne foi,
115 Et croyez, quand il dit qu'il me quitte et vous aime,
Qu'il n'y songe pas bien et se trompe lui-même.

HENRIETTE

Je ne sais ; mais enfin, si c'est votre plaisir,
Il nous est bien aisé de nous en éclaircir :
Je l'aperçois qui vient, et sur cette matière
120 Il pourra nous donner une pleine lumière.

1. **Encens :** louanges.
2. **Un mérite :** un homme de mérite.
3. **Au refus de :** après le refus de.

SCÈNE 2. CLITANDRE, ARMANDE, HENRIETTE.

HENRIETTE

Pour me tirer d'un doute où me jette ma sœur,
Entre elle et moi, Clitandre, expliquez votre cœur[1] ;
Découvrez-en le fond, et nous daignez[2] apprendre
Qui de nous à vos vœux est en droit de prétendre.

ARMANDE

125 Non, non, je ne veux point à votre passion
Imposer la rigueur d'une explication ;
Je ménage les gens, et sais comme embarrasse
Le contraignant effort de ces aveux en face.

CLITANDRE, *à Armande.*

Non Madame[3], mon cœur, qui dissimule peu,
130 Ne sent nulle contrainte à faire un libre aveu ;
Dans aucun embarras un tel pas[4] ne me jette,
Et j'avouerai tout haut, d'une âme franche et nette,
Que les tendres liens où je suis arrêté,
(Montrant Henriette.)
Mon amour et mes vœux sont tout de ce côté.
135 Qu'à nulle émotion cet aveu ne vous porte :
Vous avez bien voulu les choses de la sorte.
Vos attraits m'avaient pris, et mes tendres soupirs
Vous ont assez prouvé l'ardeur de mes désirs ;
Mon cœur vous consacrait une flamme immortelle ;
140 Mais vos yeux n'ont pas cru leur conquête assez belle.
J'ai souffert sous leur joug cent mépris différents,
Ils régnaient sur mon âme en superbes[5] tyrans ;
Et je me suis cherché, lassé de tant de peines,
Des vainqueurs plus humains et de moins rudes chaînes.

---

1. **Expliquez votre cœur :** dévoilez vos sentiments.
2. **Nous daignez apprendre :** daignez nous apprendre.
3. **Madame :** terme noble désignant les jeunes filles comme les femmes mariées.
4. **Un tel pas :** une telle démarche.
5. **Superbes :** fiers, orgueilleux.

SITUER

La scène s'ouvre sur une discussion déjà commencée. Le sujet pour les jeunes filles est d'importance. Il n'est pas seulement théorique.

RÉFLÉCHIR

THÈMES : épouser ou non ?

1. Quel est le lexique du mariage chez les deux sœurs ?

STRUCTURES : des sœurs ennemies

2. La tirade* d'Henriette (v. 53-72) : quelle est la fonction d'une tirade ? À quoi sert celle-ci ? Comment est-elle ici construite ?

3. Quels sont les deux mouvements de la scène* ? Qui domine d'abord l'échange (étudiez la répartition des répliques, les interruptions éventuelles par exemple) ? Relevez le vers, voire le mot précis, où se produit le renversement.

PERSONNAGES : deux conceptions de la vie

4. Quel est l'idéal de vie d'Henriette, celui d'Armande ? Quels en sont les traits dominants ?

5. Quelle contradiction relevez-vous dans l'attitude d'Armande ?

REGISTRES ET TONALITÉS : piques et pointes

6. Comment qualifier les railleries d'Henriette (v. 117-120) ?

7. Comment qualifier le ton d'Armande ?

8. Quand et pourquoi sourit-on ? À votre avis, souriait-on pour les mêmes raisons au temps de Molière ?

SOCIÉTÉ : deux univers

9. Armande oppose l'univers de la philosophie, de l'étude et celui de la vie quotidienne. Montrez-le. Qu'en pensez-vous ?

STRATÉGIES : *suspense*

10. Que permet une telle scène à Molière ? Quelles attentes naissent chez le spectateur ?

ÉCRIRE

Que s'est-il passé avant cette première scène ? Imaginez le dialogue initial des deux sœurs.

* Les définitions des mots suivis d'un astérisque figurent page 217.

(Montrant Henriette.)

145 Je les ai rencontrés, Madame, dans ces yeux,
Et leurs traits à jamais me seront précieux ;
D'un regard pitoyable[1] ils ont séché mes larmes,
Et n'ont pas dédaigné le rebut[2] de vos charmes ;
De si rares bontés m'ont si bien su toucher,
150 Qu'il n'est rien qui me puisse à mes fers arracher ;
Et j'ose maintenant vous conjurer, Madame,
De ne vouloir tenter nul effort sur ma flamme,
De ne point essayer à rappeler un cœur
Résolu de mourir dans cette douce ardeur.

ARMANDE

155 Eh ! qui vous dit, Monsieur, que l'on ait cette envie,
Et que de vous enfin si fort on se soucie ?
Je vous trouve plaisant de vous le figurer,
Et bien impertinent de me le déclarer.

HENRIETTE

Eh ! doucement, ma sœur. Où donc est la morale
160 Qui sait si bien régir la partie animale
Et retenir la bride aux efforts du courroux ?

ARMANDE

Mais vous qui m'en parlez, où la pratiquez-vous,
De répondre à l'amour que l'on vous fait paraître
Sans le congé[3] de ceux qui vous ont donné l'être ?
165 Sachez que le devoir vous soumet à leurs lois,
Qu'il ne vous est permis d'aimer que par leur choix,
Qu'ils ont sur votre cœur l'autorité suprême,
Et qu'il est criminel d'en disposer vous-même.

HENRIETTE

Je rends grâce aux bontés que vous me faites voir
170 De m'enseigner si bien les choses du devoir.

1. **Pitoyable :** plein de pitié.
2. **Le rebut de vos charmes :** ce que vos charmes avaient dédaigné.
3. **Le congé :** l'autorisation.

Mon cœur sur vos leçons veut régler sa conduite ;
Et, pour vous faire voir, ma sœur, que j'en profite,
Clitandre, prenez soin d'appuyer votre amour
De l'agrément de ceux dont j'ai reçu le jour ;
175 Faites-vous sur mes vœux un pouvoir légitime,
Et me donnez moyen de vous aimer sans crime.

CLITANDRE

J'y vais de tous mes soins travailler hautement,
Et j'attendais de vous ce doux consentement.

ARMANDE

Vous triomphez, ma sœur, et faites une mine
180 À vous imaginer[1] que cela me chagrine.

HENRIETTE

Moi, ma sœur ? point du tout. Je sais que sur vos sens
Les droits de la raison sont toujours tout-puissants,
Et que, par les leçons qu'on prend dans la sagesse,
Vous êtes au-dessus d'une telle faiblesse.
185 Loin de vous soupçonner d'aucun chagrin[2], je crois
Qu'ici vous daignerez vous employer pour moi,
Appuyer sa demande, et de votre suffrage
Presser l'heureux moment de notre mariage.
Je vous en sollicite ; et, pour y travailler...

ARMANDE

190 Votre petit esprit se mêle de railler,
Et d'un cœur qu'on vous jette on vous voit toute fière.

HENRIETTE

Tout jeté qu'est ce cœur, il ne vous déplaît guère ;
Et si vos yeux sur moi le pouvaient ramasser,
Ils prendraient aisément le soin de se baisser.

1. **Vous [...] faites une mine/À vous imaginer :** vous paraissez vraiment vous imaginer.
2. **Chagrin :** dépit.

ARMANDE

195 À répondre à cela je ne daigne descendre,
Et ce sont sots discours qu'il ne faut pas entendre.

HENRIETTE

C'est fort bien fait à vous, et vous nous faites voir
Des modérations qu'on ne peut concevoir.

SCÈNE 3. CLITANDRE, HENRIETTE.

HENRIETTE

Votre sincère aveu ne l'a pas peu surprise.

CLITANDRE

200 Elle mérite assez[1] une telle franchise,
Et toutes les hauteurs de sa folle fierté
Sont dignes tout au moins de ma sincérité.
Mais puisqu'il m'est permis, je vais à votre père,
Madame…

HENRIETTE

Le plus sûr est de gagner ma mère :
205 Mon père est d'une humeur[2] à consentir à tout,
Mais il met peu de poids[3] aux choses qu'il résout ;
Il a reçu du Ciel certaine bonté d'âme
Qui le soumet d'abord[4] à ce que veut sa femme ;
C'est elle qui gouverne, et d'un ton absolu
210 Elle dicte pour loi ce qu'elle a résolu.
Je voudrais bien vous voir pour elle, et pour ma tante,
Une âme, je l'avoue, un peu plus complaisante,
Un esprit qui, flattant les visions[5] du leur,
Vous pût de leur estime attirer la chaleur.

1. **Assez :** entièrement.
2. **Humeur :** caractère.
3. **Poids :** autorité.
4. **D'abord :** immédiatement.
5. **Visions :** illusions.

SITUER

Clitandre, objet du conflit entre les deux sœurs, paraît seul pouvoir trancher.

RÉFLÉCHIR

STRUCTURES : règlements de comptes

1. Quels sont les grands moments de cette scène ? Donnez-leur un titre. Quels personnages interviennent à chacun d'eux ?

2. Quand Clitandre intervient-il ? Quand reste-t-il silencieux ? Pourquoi ?

PERSONNAGES : amours croisées

3. Quel amoureux Clitandre vous semble-t-il être ? Comment justifie-t-il le choix d'Henriette ? Cela éclaire-t-il son amour pour elle ?

4. Comment Armande se défend-elle ?

5. Regrette-t-elle la perte d'un pouvoir ou celle d'un amour ? Sa réponse vous paraît-elle sincère ou feinte ? Justifiez votre réponse.

6. Comment apparaît-elle à la fin de cette scène ? En sait-on plus sur elle ? Ce personnage est-il émouvant, et si oui pourquoi ?

SOCIÉTÉ : une mode triomphante

7. Que nous apprend le langage de Clitandre sur la place de la préciosité* au temps de Molière ?

MISE EN SCÈNE : des apparences et de la franchise

8. Imaginez le jeu de Clitandre quand il se déclare (changement d'interlocutrice, variations de ton, etc.), quand il reste silencieux.

ÉCRIRE

Adaptez en langage moderne la déclaration de Clitandre.

CLITANDRE

215 Mon cœur n'a jamais pu, tant il est né sincère,
Même dans votre sœur flatter leur caractère,
Et les femmes docteurs[1] ne sont point de mon goût.
Je consens qu'une femme ait des clartés de tout,
Mais je ne lui veux point la passion choquante
220 De se rendre savante afin d'être savante ;
Et j'aime que souvent, aux questions qu'on fait,
Elle sache ignorer les choses qu'elle sait ;
De son étude enfin je veux qu'elle se cache,
Et qu'elle ait du savoir sans vouloir qu'on le sache,
225 Sans citer les auteurs, sans dire de grands mots,
Et clouer de l'esprit à ses moindres propos.
Je respecte beaucoup Madame votre mère ;
Mais je ne puis du tout approuver sa chimère,
Et me rendre[2] l'écho des choses qu'elle dit,
230 Aux encens qu'elle donne à son héros d'esprit[3].
Son Monsieur Trissotin me chagrine, m'assomme[4],
Et j'enrage de voir qu'elle estime un tel homme,
Qu'elle nous mette au rang des grands et beaux esprits
Un benêt dont partout on siffle les écrits,
235 Un pédant dont on voit la plume libérale[5]
D'officieux[6] papiers fournir toute la Halle[7].

HENRIETTE

Ses écrits, ses discours, tout m'en semble ennuyeux,
Et je me trouve assez votre goût et vos yeux ;
Mais, comme sur ma mère il a grande puissance,
240 Vous devez vous forcer à quelque complaisance.
Un amant fait sa cour où s'attache son cœur,
Il veut de tout le monde y gagner la faveur ;

1. **Les femmes docteurs :** les femmes qui font les savantes (docteur est un titre universitaire refusé aux femmes jusqu'au XXe siècle).
2. **Rendre :** faire.
3. **Son héros d'esprit :** son héros dans le domaine de l'esprit.
4. **M'assomme :** m'irrite profondément.
5. **Libérale :** (trop) abondante.
6. **Officieux :** utiles (ils permettent d'emballer la marchandise !).
7. **La Halle :** le marché.

Et, pour n'avoir personne à sa flamme contraire,
Jusqu'au chien du logis il s'efforce de plaire.

CLITANDRE

245 Oui, vous avez raison ; mais Monsieur Trissotin
M'inspire au fond de l'âme un dominant chagrin.
Je ne puis consentir, pour gagner ses suffrages,
À me déshonorer en prisant[1] ses ouvrages ;
C'est par eux qu'à mes yeux il a d'abord paru,
250 Et je le connaissais avant que[2] l'avoir vu.
Je vis, dans le fatras des écrits qu'il nous donne,
Ce qu'étale en tous lieux sa pédante personne :
La constante hauteur de sa présomption,
Cette intrépidité de bonne opinion[3],
255 Cet indolent[4] état de confiance extrême
Qui le rend en tout temps si content de soi-même,
Qui fait qu'à son mérite incessamment il rit[5],
Qu'il se sait si bon gré de tout ce qu'il écrit,
Et qu'il ne voudrait pas changer sa renommée
260 Contre tous les honneurs d'un général d'armée.

HENRIETTE

C'est avoir de bons yeux que de voir tout cela.

CLITANDRE

Jusques à sa figure encor la chose alla[6],
Et je vis, par les vers qu'à la tête il nous jette,
De quel air il fallait que fût fait le poète ;
265 Et j'en avais si bien deviné tous les traits,
Que rencontrant un homme un jour dans le Palais[7],

1. **En prisant :** en appréciant.
2. **Avant que :** avant de.
3. **Cette intrépidité de bonne opinion :** cette bonne opinion de lui-même sans faille.
4. **Indolent :** tranquille.
5. **Il rit à son mérite :** il se réjouit de sa valeur.
6. **Jusques à sa figure encore la chose alla :** j'allai jusqu'à m'imaginer sa figure.
7. **Le Palais :** le palais de Justice, lieu à la mode dont les galeries abritaient des librairies.

SITUER

Les choix de Clitandre sont clairs : la cadette a remplacé dans son cœur* l'aînée. Mais ne va-t-il pas se heurter à des obstacles divers ?

RÉFLÉCHIR

PERSONNAGES : des amoureux raisonnables

1. Comparez la conception de la femme qu'ont les deux jeunes gens.

2. Clitandre et Henriette ont-ils le même point de vue sur Philaminte et Trissotin ? Quelles preuves de réalisme donne Henriette ?

3. Parler ainsi de mariage, est-ce à votre avis parler d'amour ? Pourquoi ?

STRUCTURES : stratégies et critiques

4. Malgré la longueur de la tirade de Clitandre (v. 215-236), des termes nous rappellent qu'il s'agit toujours d'un dialogue. Faites-en le relevé. Quelle en est leur nature ?

5. Vers 231 et 245 : que signifie le nom du personnage cité ?

6. Quels personnages nouveaux sont ici évoqués ? Comment sont-ils présentés ?

7. Quelles sources futures de conflit apparaissent ?

8. S'agit-il d'une scène de transition, d'exposition ou d'une scène importante pour l'intrigue ?

REGISTRES ET TONALITÉS : la satire de Trissotin

9. Qu'est-il reproché à ce personnage ? En quoi cette présentation est-elle satirique ? Que penser du vers 262 : « Jusques à sa figure encor la chose alla » ?

Je gageai que c'était Trissotin en personne,
Et je vis qu'en effet la gageure était bonne.

HENRIETTE

Quel conte !

CLITANDRE

Non ; je dis la chose comme elle est.
270 Mais je vois votre tante. Agréez, s'il vous plaît,
Que mon cœur lui déclare ici notre mystère[1],
Et gagne sa faveur auprès de votre mère.

SCÈNE 4. CLITANDRE, BÉLISE.

CLITANDRE

Souffrez, pour vous parler, Madame, qu'un amant[2]
Prenne l'occasion de cet heureux moment,
275 Et se découvre à vous de la sincère flamme...

BÉLISE

Ah ! tout beau ! Gardez-vous de m'ouvrir trop votre âme.
Si je vous ai su mettre au rang de mes amants,
Contentez-vous des yeux pour vos seuls truchements[3],
Et ne m'expliquez point par un autre langage
280 Des désirs qui chez moi passent pour un outrage.
Aimez-moi, soupirez, brûlez pour mes appas[4],
Mais qu'il me soit permis de ne le savoir pas :
Je puis fermer les yeux sur vos flammes secrètes,
Tant que vous vous tiendrez aux muets interprètes[5] ;
285 Mais, si la bouche vient à s'en vouloir mêler,
Pour jamais de ma vue il vous faut exiler.

1. **Mystère :** secret.
2. **Amant :** amoureux.
3. **Truchements :** interprètes.
4. **Appas :** charmes.
5. **Muets interprètes :** les yeux (périphrase précieuse).

CLITANDRE

Des projets de mon cœur ne prenez point d'alarme :
Henriette, Madame, est l'objet qui me charme,
Et je viens ardemment conjurer vos bontés
290 De seconder l'amour que j'ai pour ses beautés.

BÉLISE

Ah ! certes le détour est d'esprit, je l'avoue.
Ce subtil faux-fuyant mérite qu'on le loue ;
Et, dans tous les romans où j'ai jeté les yeux,
Je n'ai rien rencontré de plus ingénieux.

CLITANDRE

295 Ceci n'est point du tout un trait d'esprit, Madame,
Et c'est un pur aveu de ce que j'ai dans l'âme.
Les Cieux, par les liens d'une immuable ardeur,
Aux beautés d'Henriette ont attaché mon cœur ;
Henriette me tient sous son aimable empire,
300 Et l'hymen d'Henriette est le bien où j'aspire.
Vous y pouvez beaucoup, et tout ce que je veux,
C'est que vous y daigniez favoriser mes vœux.

BÉLISE

Je vois où doucement veut aller la demande,
Et je sais sous ce nom ce qu'il faut que j'entende ;
305 La figure[1] est adroite et, pour n'en point sortir,
Aux choses que mon cœur m'offre à vous repartir[2],
Je dirai qu'Henriette à l'hymen est rebelle,
Et que sans rien prétendre il faut brûler pour elle.

CLITANDRE

Eh ! Madame, à quoi bon un pareil embarras ?
310 Et pourquoi voulez-vous penser ce qui n'est pas ?

1. La « figure » de rhétorique « est adroite » puisque – croit Bélise – Clitandre parle d'Henriette pour ne pas la citer directement.
2. **Aux choses que mon cœur m'offre à vous repartir :** parmi les choses que mon cœur m'offre à vous répondre.

BÉLISE

Mon Dieu, point de façons ; cessez de vous défendre
De ce que vos regards m'ont souvent fait entendre.
Il suffit que l'on est[1] contente du détour
Dont s'est adroitement avisé votre amour,
315 Et que, sous la figure où le respect l'engage,
On veut bien se résoudre à souffrir son hommage,
Pourvu que ses transports, par l'honneur éclairés,
N'offrent à mes autels[2] que des vœux épurés.

CLITANDRE

Mais…

BÉLISE

Adieu. Pour ce coup, ceci doit vous suffire,
320 Et je vous ai plus dit que je ne voulais dire.

CLITANDRE

Mais votre erreur…

BÉLISE

Laissez. Je rougis maintenant
Et ma pudeur s'est fait un effort surprenant.

CLITANDRE

Je veux être pendu si je vous aime, et sage…

BÉLISE

Non, non, je ne veux rien entendre davantage.
(Elle sort.)

CLITANDRE

325 Diantre[3] soit de la folle avec ses visions !
A-t-on rien vu d'égal à ses préventions ?
Allons commettre[4] un autre au soin que l'on me donne,
Et prenons le secours d'une sage personne.

1. **Il suffit que l'on est :** aujourd'hui : il suffit que l'on soit.
2. **À mes autels :** métaphore précieuse : la femme aimée est divinisée.
3. **Diantre :** altération de « diable ».
4. **Commettre :** préposer.

SITUER

Clitandre vient de quitter Henriette. La première personne à gagner à sa cause entre en scène.

RÉFLÉCHIR

THÈMES : le monde du langage précieux

1. Quelles expressions permettent immédiatement de cerner la préciosité de Bélise ?

2. Quels termes définissent les relations de l'amant et de l'aimée ? Quelle est cette conception de l'amour ?

3. Le langage de Clitandre est-il très différent de celui de Bélise ? Relevez quelques expressions caractéristiques.

4. Quels mots de Clitandre (v. 273-275) peuvent être mal interprétés par Bélise ?

PERSONNAGES : outrances ?

5. On voit généralement chez Bélise du délire. Pourtant, n'y a-t-il pas une part de jeu ? Quel rôle joue-t-elle alors (*cf.* en particulier le vers 324) ? Telle qu'elle se présente, est-ce un personnage vraisemblable ?

SOCIÉTÉ : perversions précieuses

6. Que nous confirme le malentendu sur la phraséologie amoureuse alors en usage (voir la déclaration de Clitandre à la scène 2) ?

7. Quelle perversion du langage précieux Molière dénonce-t-il ici ?

8. Bélise correspond-elle aux femmes philosophes dont parlait Armande ? Quel rôle la littérature romanesque* lui fait-elle jouer ? Pourquoi chez elle est-ce comique ?

9. Pourquoi Clitandre est-il embarrassé ?

MISE EN SCÈNE : le quiproquo*

10. Définissez le quiproquo dans cette scène. Analysez sa force comique.

11. Pourquoi le public peut-il ressentir des sentiments mêlés ?

REGISTRES ET TONALITÉS : comédie ou farce ?

12. À quoi sert cette scène en fin d'acte* ?

13. Quel est le rôle de Bélise ? Quelle peut être sa place dans l'intrigue ?

PERSONNAGES : trois amoureuses rivales

Les différentes conceptions de l'amour et du mariage, ainsi que les choix précieux, sont exposés.

Henriette, Clitandre et le mariage :

1. Quelles qualités ont en commun Henriette et Clitandre ?

2. Amour et/ou raison ? Que pensez-vous de ce couple ?

Armande et Clitandre : amour et science

3. Comment Armande conçoit-elle l'amour ?

4. Comment le titre de la pièce commence-t-il à se justifier ?

Bélise et Clitandre : amour et roman

5. Comment Bélise conçoit-elle l'amour ? En quoi cette conception relève-t-elle du roman ?

6. Quels vous paraissent être les intérêts et les limites de ces trois approches ?

STRUCTURES ET STRATÉGIES : présentations

Le premier acte peut étonner le lecteur qui connaît la liste initiale des personnages. Le spectateur, en revanche, sera essentiellement intrigué et aura l'impression d'une découverte progressive.

7. Quels personnages connaît-on en effet directement ? De qui nous parle-t-on ? Comment expliquer cette différence de traitement ?

8. Quel conflit apparaît ouvertement ? Est-il résolu ?

9. Quelle est donc la première fonction de cet acte ? Quelle autre fonction pouvez-vous déceler ? Que permet leur combinaison ?

ACTE II

SCÈNE PREMIÈRE. ARISTE, *quittant Clitandre et lui parlant encore.*

ARISTE

Oui, je vous porterai la réponse au plus tôt ;
330 J'appuierai, presserai, ferai tout ce qu'il faut.
Qu'un amant, pour un mot, a de choses à dire !
Et qu'impatiemment il veut ce qu'il désire !
Jamais...

SCÈNE 2. CHRYSALE, ARISTE.

ARISTE

Ah ! Dieu vous gard'[1], mon frère.

CHRYSALE

Et vous aussi,
Mon frère.

ARISTE

Savez-vous ce qui m'amène ici ?

CHRYSALE

335 Non ; mais si vous voulez, je suis prêt à l'apprendre.

ARISTE

Depuis assez longtemps vous connaissez Clitandre ?

CHRYSALE

Sans doute, et je le vois qui fréquente chez nous.

ARISTE

En quelle estime est-il, mon frère, auprès de vous ?

1. Dieu vous garde.

CHRYSALE

D'homme d'honneur, d'esprit, de cœur, et de conduite ;
340 Et je vois peu de gens qui soient de son mérite.

ARISTE

Certain désir qu'il a conduit ici mes pas,
Et je me réjouis que vous en fassiez cas.

CHRYSALE

Je connus feu son père en mon voyage à Rome.

ARISTE

Fort bien.

CHRYSALE

C'était, mon frère, un fort bon gentilhomme.

ARISTE

345 On le dit.

CHRYSALE

Nous n'avions alors que vingt-huit ans,
Et nous étions, ma foi, tous deux de verts galants[1].

ARISTE

Je le crois.

CHRYSALE

Nous donnions[2] chez les dames romaines,
Et tout le monde là parlait de nos fredaines ;
Nous faisions des jaloux.

ARISTE

Voilà qui va des mieux.
350 Mais venons au sujet qui m'amène en ces lieux.

---

1. Verts galants : jeunes gens vifs, ayant du tempérament.
2. Nous donnions : nous allions.

SCÈNE 3. BÉLISE, *entrant doucement et écoutant* ; CHRYSALE, ARISTE.

ARISTE

Clitandre auprès de vous me fait son interprète,
Et son cœur est épris des grâces d'Henriette.

CHRYSALE

Quoi, de ma fille ?

ARISTE

Oui, Clitandre en est charmé,
Et je ne vis jamais amant plus enflammé.

BÉLISE, *à Ariste.*

355 Non, non : je vous entends. Vous ignorez l'histoire,
Et l'affaire n'est pas ce que vous pouvez croire.

ARISTE

Comment, ma sœur ?

BÉLISE

Clitandre abuse vos esprits,
Et c'est d'un autre objet que son cœur est épris.

ARISTE

Vous raillez. Ce n'est pas Henriette qu'il aime ?

BÉLISE

360 Non, j'en suis assurée.

ARISTE

Il me l'a dit lui-même.

BÉLISE

Eh ! oui.

ARISTE

Vous me voyez, ma sœur, chargé par lui
D'en faire la demande à son père aujourd'hui.

BÉLISE

Fort bien.

ARISTE

Et son amour même m'a fait instance[1]
De presser les moments d'une telle alliance.

BÉLISE

365 Encor mieux. On ne peut tromper plus galamment.
Henriette, entre nous, est un amusement,
Un voile ingénieux, un prétexte, mon frère,
À couvrir d'autres feux dont je sais le mystère ;
Et je veux bien tous deux vous mettre hors d'erreur.

ARISTE

370 Mais, puisque vous savez tant de choses, ma sœur,
Dites-nous, s'il vous plaît, cet autre objet qu'il aime.

BÉLISE

Vous le voulez savoir ?

ARISTE

Oui. Quoi ?

BÉLISE

Moi.

ARISTE

Vous ?

BÉLISE

Moi-même.

ARISTE

Hay, ma sœur !

BÉLISE

Qu'est-ce donc que veut dire ce « hay »,
Et qu'a de surprenant le discours que je fais ?
375 On est faite d'un air, je pense, à pouvoir dire
Qu'on n'a pas pour un[2] cœur soumis à son empire ;

1. **M'a fait instance :** m'a demandé instamment.
2. **Pour un :** seulement.

Et Dorante, Damis, Cléonte et Lycidas
Peuvent bien faire voir qu'on a quelques appas.

ARISTE

Ces gens vous aiment ?

BÉLISE

Oui, de toute leur puissance.

ARISTE

380 Ils vous l'ont dit ?

BÉLISE

Aucun n'a pris cette licence[1] :
Ils m'ont su révérer si fort jusqu'à ce jour
Qu'ils ne m'ont jamais dit un mot de leur amour ;
Mais, pour m'offrir leur cœur et vouer leur service,
Les muets truchements ont tous fait leur office.

ARISTE

385 On ne voit presque point céans[2] venir Damis.

BÉLISE

C'est pour me faire voir un respect plus soumis.

ARISTE

De mots piquants partout Dorante vous outrage.

BÉLISE

Ce sont emportements d'une jalouse rage.

ARISTE

Cléonte et Lycidas ont pris femme tous deux.

BÉLISE

390 C'est par un désespoir où j'ai réduit leurs feux.

ARISTE

Ma foi ! ma chère sœur, vision toute claire[3].

---

1. **Licence :** liberté insupportable.
2. **Céans :** ici.
3. **Vision toute claire :** chimère évidente (voir p. 176).

SITUER

Ariste se fait l'avocat de Clitandre auprès de Chrysale. Bélise va-t-elle ouvrir les yeux ?

RÉFLÉCHIR

PERSONNAGES : un délire cohérent

1. De quoi Bélise est-elle persuadée ? Quelles sont, pour elle, les preuves d'amour ? Pourquoi est-il impossible de la détromper ?

2. Quelles constantes trouvez-vous chez Bélise dans l'acte I, scène 4 et dans cette scène ? Quelle progression remarquez-vous (voir en particulier les v. 375-378) ?

3. Définissez le mot « chimères » (v. 392). Pourquoi convient-il à Bélise ? Que pensent d'elle ses proches (*cf.* acte I, sc. 4) ?

REGISTRES ET TONALITÉS : une drôle de précieuse

4. À quelles phases différentes le rythme de la scène obéit-il ? Comment contribue-t-il au comique (voir v. 372, 385-391) ?

5. Pourquoi la répétition de « chimères » (v. 395-396) fait-elle sourire ?

STRUCTURES ET STRATÉGIES : perturbation

6. Entre quels personnages cette scène devait-elle se jouer ? Entre qui se joue-t-elle finalement ?

7. Quand Bélise s'introduit-elle dans la conversation ?

8. Entre combien de personnages et de répliques se partage le vers 372 ? Que pouvez-vous en déduire ?

9. Comment se répartissent les échanges des vers 385-391 ? Quel est l'effet produit par cette stichomythie* ?

10. Comment cette scène se situe-t-elle dans l'acte ? L'action a-t-elle évolué ? À quoi servent finalement cette scène et Bélise ?

CHRYSALE, *à Bélise.*
De ces chimères-là vous devez vous défaire.

BÉLISE
Ah, chimères ! Ce sont des chimères, dit-on !
Chimères, moi ! Vraiment, chimères est fort bon !
395 Je me réjouis fort de chimères, mes frères,
Et je ne savais pas que j'eusse des chimères.

SCÈNE 4. CHRYSALE, ARISTE.

CHRYSALE
Notre sœur est folle, oui.

ARISTE
Cela croît tous les jours.
Mais encore une fois, reprenons le discours[1].
Clitandre vous demande Henriette pour femme :
400 Voyez quelle réponse on doit faire à sa flamme.

CHRYSALE
Faut-il le demander ? J'y consens de bon cœur,
Et tiens son alliance à singulier honneur.

ARISTE
Vous savez que de bien il n'a pas l'abondance,
Que...

CHRYSALE
C'est un intérêt[2] qui n'est pas d'importance :
405 Il est riche en vertu, cela vaut des trésors ;
Et puis son père et moi n'étions qu'un en deux corps.

ARISTE
Parlons à votre femme, et voyons à la rendre
Favorable...

1. **Discours :** le sujet de notre entretien.
2. **Un intérêt :** une question.

CHRYSALE

Il suffit : je l'accepte pour gendre.

ARISTE

Oui ; mais, pour appuyer votre consentement,
410 Mon frère, il n'est pas mal d'avoir son agrément ;
Allons…

CHRYSALE

Vous moquez-vous ? Il n'est pas nécessaire :
Je réponds de ma femme, et prends sur moi l'affaire.

ARISTE

Mais…

CHRYSALE

Laissez faire, dis-je, et n'appréhendez pas.
Je la vais disposer aux choses de ce pas.

ARISTE

415 Soit. Je vais là-dessus sonder votre Henriette,
Et reviendrai savoir…

CHRYSALE

C'est une affaire faite,
Et je vais à ma femme en parler sans délai.

SCÈNE 5. MARTINE, CHRYSALE.

MARTINE

Me voilà bien chanceuse[1] ! hélas ! l'an[2] dit bien vrai :
Qui veut noyer son chien l'accuse de la rage,
420 Et service d'autrui n'est pas un héritage[3].

CHRYSALE

Qu'est-ce donc ? Qu'avez-vous, Martine ?

1. **Me voilà bien chanceuse :** voilà bien ma chance.
2. **L'an :** on.
3. **Service d'autrui n'est pas un héritage :** servir autrui n'est pas un cadeau.

MARTINE

Ce que j'ai ?

CHRYSALE

Oui.

MARTINE

J'ai que l'on me donne aujourd'hui mon congé,
Monsieur.

CHRYSALE

Votre congé ?

MARTINE

Oui. Madame me chasse.

CHRYSALE

Je n'entends[1] pas cela. Comment ?

MARTINE

On me menace,
425 Si je ne sors d'ici, de me bailler[2] cent coups.

MARTINE

Non, vous demeurerez : je suis content de vous.
Ma femme bien souvent a la tête un peu chaude,
Et je ne veux pas, moi...

SCÈNE 6. PHILAMINTE, BÉLISE, CHRYSALE, MARTINE.

PHILAMINTE, *apercevant Martine.*

Quoi ! je vous vois, maraude[3] ?
Vite, sortez, friponne ; allons, quittez ces lieux,
430 Et ne vous présentez jamais devant mes yeux.

CHRYSALE

Tout doux.

1. **Je n'entends pas :** je ne comprends pas.
2. **Bailler :** donner. Vieilli au XVIIe siècle, réservé au langage populaire.
3. **Maraude :** coquine, canaille.

SITUER

Chrysale donne son consentement au mariage de Clitandre et d'Henriette. Celle-ci se serait-elle trompée sur son père ?

RÉFLÉCHIR

Scène 2. Ariste s'est révélé un allié plus sûr que Bélise.

SOCIÉTÉ : un bourgeois bon vivant

1. Dans la distribution (p. 30), la didascalie* initiale nous présentait Chrysale comme un « bon bourgeois ». Quelle précision a-t-on ici sur son statut et sur ses relations sociales ?

2. Quels souvenirs viennent immédiatement à l'esprit de Chrysale ? Quelles qualités apprécie-t-il chez Clitandre ?

Scène 4. Comment Bélise peut-elle être la sœur de Chrysale ?

PERSONNAGES : un brave homme

3. Relevez les procédés qui montrent que l'autorité de Chrysale est purement verbale.

4. Quels sont les critères de Chrysale pour se décider ? Correspondent-ils aux qualités de Clitandre évoquées dans la scène 2 ?

Scène 5. Une autre source de problèmes apparaît : la servante.

SOCIÉTÉ : le renvoi de Martine

5. Comment le maître de maison s'adresse-t-il à Martine ?

6. Quelle décision prend-il et comment explique-t-il le renvoi ?

Scènes 2 à 5

THÈMES : un homme de certitudes

7. Quelle conception Chrysale a-t-il du couple ? du foyer ? Quelles règles morales et sociales dictent sa conduite ? Est-il sympathique ? Si oui, pourquoi ?

STRATÉGIES : paroles et promesses

8. Qu'ont apporté ces trois scènes ? L'image que Chrysale donne de lui-même correspond-elle à celle qu'Ariste laisse deviner, à celle qu'Henriette avait donnée ? Argumentez, en vous appuyant sur le texte.

9. Les paroles de Chrysale paraissent annuler le conflit. Pourquoi cependant tout n'est-il pas réglé ?

10. D'où vient finalement le comique de Chrysale ?

PHILAMINTE

Non, c'en est fait.

CHRYSALE

Eh !

PHILAMINTE

Je veux qu'elle sorte.

CHRYSALE

Mais qu'a-t-elle commis, pour vouloir de la sorte...

PHILAMINTE

Quoi ! vous la soutenez ?

CHRYSALE

En aucune façon.

PHILAMINTE

Prenez-vous son parti contre moi ?

CHRYSALE

Mon Dieu ! non ;

435 Je ne fais seulement que[1] demander son crime.

PHILAMINTE

Suis-je pour la chasser sans cause légitime ?

CHRYSALE

Je ne dis pas cela ; mais il faut de nos gens...

PHILAMINTE

Non, elle sortira, vous dis-je, de céans.

CHRYSALE

Hé bien ! oui. Vous dit-on quelque chose là-contre ?

PHILAMINTE

440 Je ne veux point d'obstacle aux désirs que je montre.

---

1. **Je ne fais seulement que :** aujourd'hui, il faudrait choisir : « Je ne fais que demander son crime » ou « Je demande seulement quel est son crime ».

CHRYSALE

D'accord.

PHILAMINTE

Et vous devez, en raisonnable époux,
Être pour moi contre elle et prendre[1] mon courroux.

CHRYSALE

Aussi fais-je.

(Se tournant vers Martine.)

Oui, ma femme avec raison vous chasse,
Coquine, et votre crime est indigne de grâce.

MARTINE

445 Qu'est-ce donc que j'ai fait ?

CHRYSALE, *bas.*

Ma foi, je ne sais pas.

PHILAMINTE

Elle est d'humeur encore à n'en faire aucun cas.

CHRYSALE

A-t-elle, pour donner matière à votre haine,
Cassé quelque miroir ou quelque porcelaine ?

PHILAMINTE

Voudrais-je la chasser, et vous figurez-vous
450 Que pour si peu de chose on se mette en courroux ?

CHRYSALE

(À Martine.)

Qu'est-ce à dire ?

(À Philaminte.)

L'affaire est donc considérable ?

PHILAMINTE

Sans doute. Me voit-on femme déraisonnable ?

1. **Prendre :** adopter.

CHRYSALE

Est-ce qu'elle a laissé, d'un esprit négligent,
Dérober quelque aiguière ou quelque plat d'argent ?

PHILAMINTE

455 Cela ne serait rien.

CHRYSALE, *à Martine.*

Oh ! oh ! peste, la belle !
(À Philaminte.)
Quoi ? l'avez-vous surprise à n'être pas fidèle[1] ?

PHILAMINTE

C'est pis que tout cela.

CHRYSALE

Pis que tout cela ?

PHILAMINTE

Pis.

CHRYSALE

Comment diantre, friponne ! Euh ! a-t-elle commis...

PHILAMINTE

Elle a, d'une insolence à nulle autre pareille,
460 Après trente leçons, insulté mon oreille
Par l'impropriété d'un mot sauvage[2] et bas
Qu'en termes décisifs condamne Vaugelas[3].

CHRYSALE

Est-ce là...

PHILAMINTE

Quoi, toujours, malgré nos remontrances,
Heurter le fondement de toutes les sciences,

1. **Fidèle :** sûre. Une domestique doit non seulement être honnête mais rester discrète sur la vie de la maison.
2. **Sauvage :** barbare.
3. **Vaugelas :** grammairien dont les *Remarques sur la langue française* (1647) définissent le bon usage.

465 La grammaire, qui sait régenter jusqu'aux rois[1],
Et les fait la main haute[2] obéir à ses lois ?

CHRYSALE

Du plus grand des forfaits je la croyais coupable.

PHILAMINTE

Quoi ? vous ne trouvez pas ce crime impardonnable ?

CHRYSALE

Si fait.

PHILAMINTE

Je voudrais bien que vous l'excusassiez !

CHRYSALE

470 Je n'ai garde !

BÉLISE

Il est vrai que ce sont des pitiés[3] :
Toute construction est par elle détruite,
Et des lois du langage on l'a cent fois instruite.

MARTINE

Tout ce que vous prêchez est, je crois, bel et bon ;
Mais je ne saurais, moi, parler votre jargon[4].

PHILAMINTE

475 L'impudente ! appeler un jargon le langage
Fondé sur la raison et sur le bel usage[5] !

MARTINE

Quand on se fait entendre on parle toujours bien,
Et tous vos biaux[6] dictons[7] ne servent pas de rien[8].

1. C'est ce qu'affirme Vaugelas dans la préface de ses *Remarques.*
2. **La main haute :** la bride haute, sans effort (terme d'équitation).
3. **Des pitiés :** pluriel d'insistance (rare).
4. **Jargon :** langage déformé. Charabia.
5. Voir note 3, p. 62.
6. **Biaux :** beaux.
7. **Dictons :** discours.
8. **De rien :** à grand-chose.

PHILAMINTE

Hé bien ! ne voilà pas encore de son style ?
480 « Ne servent pas de rien ! »

BÉLISE

Ô cervelle indocile !
Faut-il qu'avec les soins qu'on prend incessamment
On ne te puisse apprendre à parler congrûment[1] ?
De *pas* mis avec *rien* tu fais la récidive[2],
Et c'est, comme on t'a dit, trop d'une négative[3].

MARTINE

485 Mon Dieu ! je n'avons pas étugué[4] comme vous,
Et je parlons tout droit comme on parle cheux nous.

PHILAMINTE

Ah ! peut-on y tenir ?

BÉLISE

Quel solécisme[5] horrible !

PHILAMINTE

En voilà pour tuer une oreille sensible !

BÉLISE

Ton esprit, je l'avoue, est bien matériel.
490 *Je* n'est qu'un singulier, *avons* est pluriel.
Veux-tu toute ta vie offenser la grammaire ?

MARTINE

Qui parle d'offenser grand-mère ni grand-père ?

PHILAMINTE

Ô Ciel !

1. **Congrûment :** correctement.
2. **Récidive :** répétition.
3. **Négative :** négation.
4. **Étugué :** étudié.
5. **Solécisme :** faute de syntaxe, de construction.

BÉLISE

Grammaire est prise à contresens par toi,
Et je t'ai déjà dit d'où vient ce mot.

MARTINE

Ma foi !
495 Qu'il vienne de Chaillot, d'Auteuil ou de Pontoise[1],
Cela ne me fait rien.

BÉLISE

Quelle âme villageoise !
La grammaire, du verbe et du nominatif[2],
Comme de l'adjectif avec le substantif,
Nous enseigne les lois[3].

MARTINE

J'ai, Madame, à vous dire
500 Que je ne connais point ces gens-là.

PHILAMINTE

Quel martyre !

BÉLISE

Ce sont les noms des mots, et l'on doit regarder
En quoi c'est qu'il les faut faire ensemble accorder.

MARTINE

Qu'ils s'accordent entr'eux, ou se gourment[4], qu'importe ?

PHILAMINTE, *à sa belle-sœur.*

Eh ! mon Dieu, finissez un discours de la sorte.
(À son mari.)
505 Vous ne voulez pas, vous, me la faire sortir ?

1. Chaillot et Auteuil étaient alors des villages distincts de Paris. Le jeu de mots est déjà présent dans *La Jalousie du Barbouillé* (scène 2).
2. **Nominatif :** sujet.
3. **Les lois :** les règles d'accord.
4. **Se gourment :** se battent.

SITUER

Chrysale a jusqu'à présent démenti les craintes d'Henriette. Il semble l'allié idéal – nécessaire – pour défendre Clitandre et Martine. Pourtant...

RÉFLÉCHIR

STRATÉGIES : des explications surprenantes

1. Quelles sont les raisons du renvoi de Martine ?

PERSONNAGES : faiblesses

2. Chrysale résiste-t-il longtemps à son épouse ? Relevez les premiers vers qui le montrent cédant à Philaminte.

3. Quand se tait-il ? Quand reprend-il la parole et pourquoi ?

4. Par quelle expression Philaminte désigne-t-elle la faute commise par Martine ?

REGISTRES ET TONALITÉS : maîtres et servante

5. Relevez les caractéristiques du langage populaire prêté à Martine.

6. Comment apparaît Philaminte à travers son langage dans les premiers vers (v. 428-440) ?

7. Relevez les confusions de Martine. Dans quel univers évolue-t-elle ? Ces confusions vous paraissent-elles volontaires ?

STRUCTURES : promesses et réalités

8. Comment les scènes 2, 4 et 5 nous préparent-elles à cette scène ? Pourquoi la rencontre entre Ariste et Clitandre est-elle seulement résumée et non représentée (sc. 1) ?

9. Quelle est la fonction de Martine face au couple Philaminte-Chrysale ? face au couple Philaminte-Bélise ?

ÉCRIRE

Pensez-vous qu'au nom de la liberté d'expression on puisse utiliser tous les argots, tous les patois et faire fi des normes grammaticales ?

CHRYSALE

(À part.)

Si fait. À son caprice, il me faut consentir.
Va, ne l'irrite point : retire-toi, Martine.

PHILAMINTE

Comment ! vous avez peur d'offenser la coquine ?
Vous lui parlez d'un ton tout à fait obligeant ?

CHRYSALE

(Haut.)

510 Moi ? point. Allons, sortez !

(Bas.)

Va-t'en, ma pauvre enfant.

SCÈNE 7. PHILAMINTE, CHRYSALE, BÉLISE.

CHRYSALE

Vous êtes satisfaite, et la voilà partie ;
Mais je n'approuve point une telle sortie ;
C'est une fille propre aux choses qu'elle fait,
Et vous me la chassez pour un maigre sujet.

PHILAMINTE

515 Vous voulez que toujours je l'aie à mon service
Pour mettre incessamment mon oreille au supplice ?
Pour rompre toute loi d'usage et de raison,
Par un barbare amas de vices d'oraison[1],
De mots estropiés, cousus par intervalles,
520 De proverbes traînés dans les ruisseaux des Halles ?

BÉLISE

Il est vrai que l'on sue à souffrir ses discours :
Elle y met Vaugelas en pièces tous les jours ;
Et les moindres défauts de ce grossier génie[2]
Sont ou le pléonasme, ou la cacophonie.

1. **De vices d'oraison :** de défauts de langage, d'incorrections.
2. **Ce grossier génie :** ce naturel fruste.

CHRYSALE

525 Qu'importe qu'elle manque aux lois de Vaugelas,
Pourvu qu'à la cuisine elle ne manque pas ?
J'aime bien mieux, pour moi, qu'en épluchant ses herbes[1],
Elle accommode mal les noms avec les verbes,
Et redise cent fois un bas ou méchant[2] mot
530 Que de brûler ma viande ou saler trop mon pot[3].
Je vis de bonne soupe, et non de beau langage.
Vaugelas n'apprend point à bien faire un potage ;
Et Malherbe[4] et Balzac[5] ; si savants en beaux mots,
En cuisine, peut-être, auraient été des sots.

PHILAMINTE

535 Que ce discours grossier terriblement assomme !
Et quelle indignité, pour ce qui s'appelle homme,
D'être baissé sans cesse aux soins matériels,
Au lieu de se hausser vers les spirituels !
Le corps, cette guenille, est-il d'une importance,
540 D'un prix à mériter seulement qu'on y pense,
Et ne devons-nous pas laisser cela bien loin ?

CHRYSALE

Oui, mon corps est moi-même, et j'en veux prendre soin.
Guenille si l'on veut, ma guenille m'est chère.

BÉLISE

Le corps avec l'esprit fait figure[6], mon frère ;
545 Mais, si vous en croyez tout le monde savant,
L'esprit doit sur le corps prendre le pas devant ;
Et notre plus grand soin, notre première instance[7],
Doit être à le nourrir du suc de la science.

---

1. **Herbes :** légumes.
2. **Méchant :** incorrect.
3. **Pot :** pot-au-feu.
4. **Malherbe :** poète (1555-1628) dont les exigences de clarté et de rigueur avaient valeur de loi.
5. **Balzac :** écrivain (1597-1654) dont les *Lettres* établirent la réputation de critique littéraire et d'habile styliste.
6. **Fait figure :** a sa place.
7. **Instance :** préoccupation.

CHRYSALE

Ma foi ! si vous songez à nourrir votre esprit,
550 C'est de viande[1] bien creuse, à ce que chacun dit,
Et vous n'avez nul soin, nulle sollicitude,
Pour...

PHILAMINTE

Ah ! *sollicitude* à mon oreille est rude :
Il put[2] étrangement son ancienneté.

BÉLISE

Il est vrai que le mot est bien collet monté[3].

CHRYSALE

555 Voulez-vous que je dise ? Il faut qu'enfin j'éclate,
Que je lève le masque et décharge ma rate :
De folles on vous traite, et j'ai fort sur le cœur...

PHILAMINTE

Comment donc ?

CHRYSALE, *à Bélise.*

C'est à vous que je parle, ma sœur.
Le moindre solécisme en parlant vous irrite ;
560 Mais vous en faites, vous, d'étranges en conduite.
Vos livres éternels ne me contentent pas,
Et, hors un gros Plutarque[4] à mettre mes rabats[5],
Vous devriez brûler tout ce meuble[6] inutile,
Et laisser la science aux docteurs de la ville ;
565 M'ôter, pour faire bien, du grenier de céans
Cette longue lunette[7] à faire peur aux gens,
Et cent brimborions dont l'aspect importune ;

1. **Viande :** nourriture.
2. **Put :** pue. Forme ancienne du verbe « puir ».
3. **Collet monté :** guindé, démodé.
4. **Métonymie :** « un Plutarque » pour l'œuvre volumineuse de Plutarque, biographe et moraliste grec.
5. **Rabats :** collets empesés qu'un livre lourd permettait de repasser.
6. **Ce meuble :** ces objets.
7. **Lunette :** lunette d'astronomie qui était alors à la mode.

Ne point aller chercher ce qu'on fait dans la lune,
Et vous mêler un peu de ce qu'on fait chez vous,
570 Où nous voyons aller tout sens dessus dessous.
Il n'est pas bien honnête[1], et pour beaucoup de causes,
Qu'une femme étudie et sache tant de choses.
Former aux bonnes mœurs l'esprit de ses enfants,
Faire aller son ménage, avoir l'œil sur ses gens,
575 Et régler la dépense avec économie,
Doit être son étude et sa philosophie.
Nos pères sur ce point étaient gens bien sensés,
Qui disaient qu'une femme en sait toujours assez
Quand la capacité de son esprit se hausse
580 À connaître un pourpoint d'avec un haut-de-chausse[2].
Les leurs ne lisaient point, mais elles vivaient bien ;
Leurs ménages étaient tout leur docte entretien,
Et leurs livres, un dé, du fil et des aiguilles
Dont elles travaillaient au trousseau de leurs filles.
585 Les femmes d'à présent sont bien loin de ces mœurs :
Elles veulent écrire et devenir auteurs.
Nulle science n'est pour elles trop profonde,
Et céans beaucoup plus qu'en aucun lieu du monde :
Les secrets les plus hauts s'y laissent concevoir,
590 Et l'on sait tout chez moi, hors ce qu'il faut savoir ;
On y sait comme vont lune, étoile polaire,
Vénus, Saturne et Mars, dont je n'ai point affaire ;
Et, dans[3] ce vain savoir, qu'on va chercher si loin,
On ne sait comme va mon pot, dont j'ai besoin.
595 Mes gens à la science aspirent pour vous plaire,
Et tous ne font rien moins que ce qu'ils ont à faire ;
Raisonner est l'emploi de toute ma maison,
Et le raisonnement en bannit la raison[4] :
L'un me brûle mon rôt en lisant quelque histoire,
600 L'autre rêve à des vers quand je demande à boire ;

1. **Honnête :** conforme aux bienséances.
2. À faire la différence entre un pourpoint et un haut-de-chausse (culotte).
3. **Dans :** à cause de.
4. **Raison :** bon sens.

Enfin je vois par eux votre exemple suivi,
Et j'ai des serviteurs et ne suis point servi.
Une pauvre servante au moins m'était restée,
Qui de ce mauvais air n'était point infectée,
605 Et voilà qu'on la chasse avec un grand fracas,
À cause qu'elle manque à parler Vaugelas.
Je vous le dis, ma sœur, tout ce train-là me blesse,
(Car c'est, comme j'ai dit, à vous que je m'adresse),
Je n'aime point céans tous vos gens à latin,
610 Et principalement ce Monsieur Trissotin.
C'est lui qui dans des vers vous a tympanisées[1],
Tous les propos qu'il tient sont des billevesées[2] ;
On cherche ce qu'il dit après qu'il a parlé,
Et je lui crois, pour moi, le timbre[3] un peu fêlé.

PHILAMINTE

615 Quelle bassesse, ô Ciel, et d'âme et de langage !

BÉLISE

Est-il de petits corps[4] un plus lourd assemblage !
Un esprit composé d'atomes plus bourgeois !
Et de ce même sang se peut-il que je sois !
Je me veux mal de mort d'être de votre race,
620 Et de confusion j'abandonne la place.

SCÈNE 8. PHILAMINTE, CHRYSALE.

PHILAMINTE

Avez-vous à lâcher encore quelque trait ?

CHRYSALE

Moi ? Non. Ne parlons plus de querelle : c'est fait.
Discourons d'autre affaire. À votre fille aînée
On voit quelque dégoût pour les nœuds d'hyménée ;

1. **Tympaniser :** célébrer excessivement.
2. **Billevesées :** sornettes.
3. **Timbre :** cerveau.
4. **Petits corps :** atomes d'Épicure (voir Lucrèce, *De natura rerum*, I, v. 575).

SITUER

Devant Martine, Chrysale n'a pas su s'opposer à sa femme. Resté seul avec elle et avec sa sœur, parlera-t-il ?

RÉFLÉCHIR

STRATÉGIES : en famille

1. Comment se justifie le changement de scène ? Quel procédé montre pourtant que les scènes 6 et 7 sont indissociables (v. 510-514) ?
2. Quels sont les différents tons de Chrysale (v. 510-514) ? Comment s'expliquent-ils ?
3. De quoi les vers 555-557 nous informent-ils ?

PERSONNAGES : un bourgeois conformiste

4. À qui s'adresse la tirade (v. 557 et 558) ? Pourquoi ce changement ?
5. Quels reproches Chrysale adresse-t-il à Philaminte et à Bélise ?
6. Quelles autorités appelle-t-il à son aide ? Quelles sentences pouvez-vous relever ?
7. En quoi le portrait psychologique de Chrysale se complète-t-il ?
8. Quel est pour Chrysale l'idéal de la femme ?
9. Qu'est-ce qui fait sourire chez Chrysale ? Lui-même ou le portrait qu'il fait des femmes savantes ?

THÈMES : choix de vie

10. Qui vous paraît avoir raison : Chrysale, ou Philaminte et Bélise ? Une thèse est-elle privilégiée ?

ÉCRIRE

Argumentez : un couple s'affronte quant à la répartition des tâches ménagères et du travail extérieur. Imaginez le dialogue.

625 C'est une philosophe enfin, je n'en dis rien,
Elle est bien gouvernée, et vous faites fort bien.
Mais de toute autre humeur se trouve sa cadette,
Et je crois qu'il est bon de pourvoir[1] Henriette,
De choisir un mari…

PHILAMINTE

C'est à quoi j'ai songé,
630 Et je veux vous ouvrir[2] l'intention que j'ai.
Ce Monsieur Trissotin dont on nous fait un crime,
Et qui n'a pas l'honneur d'être dans votre estime,
Est celui que je prends pour l'époux qu'il lui faut,
Et je sais mieux que vous juger de ce qu'il vaut.
635 La contestation est ici superflue,
Et de tout point chez moi[3] l'affaire est résolue.
Au moins ne dites mot du choix de cet époux :
Je veux à votre fille en parler avant vous ;
J'ai des raisons à faire approuver ma conduite,
640 Et je connaîtrai bien si vous l'aurez instruite.

SCÈNE 9. ARISTE, CHRYSALE.

ARISTE

Hé bien ? La femme sort, mon frère, et je vois bien
Que vous venez d'avoir ensemble un entretien.

CHRYSALE

Oui.

ARISTE

Quel est le succès ? Aurons-nous Henriette ?
A-t-elle consenti ? L'affaire est-elle faite ?

CHRYSALE

645 Pas tout à fait encor.

---

1. **Pourvoir :** établir.
2. **Ouvrir :** découvrir.
3. **Chez moi :** pour moi (*cf.* v. 95 et 280).

ARISTE
Refuse-t-elle ?

CHRYSALE
Non.

ARISTE
Est-ce qu'elle balance ?

CHRYSALE
En aucune façon.

ARISTE
Quoi donc ?

CHRYSALE
C'est que pour gendre elle m'offre un autre homme.

ARISTE
Un autre homme pour gendre ?

CHRYSALE
Un autre.

ARISTE
Qui se nomme ?

CHRYSALE
Monsieur Trissotin.

ARISTE
Quoi ! ce Monsieur Trissotin...

CHRYSALE
650 Oui, qui parle toujours de vers et de latin.

ARISTE
Vous l'avez accepté ?

CHRYSALE
Moi ? Point, à Dieu ne plaise.

ARISTE

Qu'avez-vous répondu ?

CHRYSALE

Rien ; et je suis bien aise
De n'avoir point parlé, pour ne m'engager pas.

ARISTE

La raison est fort belle, et c'est faire un grand pas.
655 Avez-vous su du moins lui proposer Clitandre ?

CHRYSALE

Non ; car, comme j'ai vu qu'on parlait d'autre gendre,
J'ai cru qu'il était mieux de ne m'avancer point.

ARISTE

Certes, votre prudence est rare au dernier point !
N'avez-vous point de honte avec votre mollesse ?
660 Et se peut-il qu'un homme ait assez de faiblesse
Pour laisser à sa femme un pouvoir absolu,
Et n'oser attaquer ce qu'elle a résolu ?

CHRYSALE

Mon Dieu ! vous en parlez, mon frère, bien à l'aise,
Et vous ne savez pas comme le bruit me pèse.
665 J'aime fort le repos, la paix et la douceur,
Et ma femme est terrible avecque[1] son humeur.
Du nom de philosophe elle fait grand mystère[2],
Mais elle n'en est pas pour cela moins colère ;
Et sa morale, faite à mépriser le bien[3],
670 Sur l'aigreur de sa bile opère comme rien.
Pour peu que l'on s'oppose à ce que veut sa tête,
On en a pour huit jours d'effroyable tempête.
Elle me fait trembler dès qu'elle prend son ton ;
Je ne sais où me mettre, et c'est un vrai dragon ;

1. **Avecque :** vieille orthographe.
2. **Elle fait grand mystère :** au nom de philosophe elle donne une grande importance.
3. **Le bien :** les biens matériels.

675 Et cependant, avec toute sa diablerie,
Il faut que je l'appelle et « mon cœur » et « ma mie ».

ARISTE

Allez, c'est se moquer. Votre femme, entre nous,
Est par vos lâchetés souveraine sur vous.
Son pouvoir n'est fondé que sur votre faiblesse,
680 C'est de vous qu'elle prend le titre de maîtresse ;
Vous-même à ses hauteurs[1] vous vous abandonnez,
Et vous faites mener en bête[2] par le nez.
Quoi ? vous ne pouvez pas, voyant comme on vous nomme[3],
Vous résoudre une fois à vouloir être un homme,
685 À faire condescendre une femme à vos vœux,
Et prendre assez de cœur[4] pour dire un : « Je le veux » ?
Vous laisserez sans honte immoler votre fille
Aux folles visions qui tiennent la famille,
Et de tout votre bien revêtir un nigaud,
690 Pour six mots de latin qu'il leur fait sonner haut,
Un pédant qu'à tous coups votre femme apostrophe[5]
Du nom de bel esprit, et de grand philosophe,
D'homme qu'en vers galants jamais on n'égala,
Et qui n'est, comme on sait, rien moins que tout cela ?
695 Allez, encore un coup, c'est une moquerie,
Et votre lâcheté mérite qu'on en rie.

CHRYSALE

Oui, vous avez raison, et je vois que j'ai tort.
Allons, il faut enfin montrer un cœur plus fort,
Mon frère.

ARISTE

C'est bien dit.

1. **À ses hauteurs :** à sa tyrannie arrogante.
2. **Mener en bête :** mener comme une bête tirée par un anneau.
3. **Nomme :** traite.
4. **Cœur :** courage.
5. **Apostrophe :** appelle.

CHRYSALE

C'est une chose infâme

700 Que d'être si soumis au pouvoir d'une femme.

ARISTE

Fort bien.

CHRYSALE

De ma douceur elle a trop profité.

ARISTE

Il est vrai.

CHRYSALE

Trop joui de ma facilité.

ARISTE

Sans doute.

CHRYSALE

Et je lui veux faire aujourd'hui connaître
Que ma fille est ma fille, et que j'en suis le maître
705 Pour lui prendre un mari qui soit selon mes vœux.

ARISTE

Vous voilà raisonnable, et comme je vous veux.

CHRYSALE

Vous êtes pour Clitandre, et savez sa demeure :
Faites-le-moi venir, mon frère, tout à l'heure[1].

ARISTE

J'y cours tout de ce pas.

CHRYSALE

C'est souffrir trop longtemps,
710 Et je m'en vais être homme à la barbe des gens.

1. **Tout à l'heure :** tout de suite.

SITUER

Philaminte semble avoir imposé son point de vue et tout serait donc joué, mais Chrysale rencontre son frère : que va-t-il sortir de cette rencontre ?

RÉFLÉCHIR

REGISTRES ET TONALITÉS : tensions

1. Du début de la scène au vers 657, quels procédés (ponctuation, rythme du vers) traduisent l'inquiétude grandissante d'Ariste ? la gêne grandissante de Chrysale ? la surprise et la colère d'Ariste quand il apprend le résultat de l'entrevue (v. 648-649) ?

2. Observez le rythme de l'alexandrin, sa distribution entre les personnages (v. 641-653).

3. Dans les vers 666 à 668, que dévoilent les mots à la rime sur le comportement d'un « philosophe » ? Que dénonce exactement Chrysale ?

PERSONNAGES : être un homme

4. Résumez l'argumentation d'Ariste. La partagez-vous ? Pourquoi ?

5. En quoi la confession de Chrysale diffère-t-elle des précédentes confidences (*cf.* acte II, sc. 2) ? Quel personnage est donc Chrysale ?

STRATÉGIES : progression ou variation sur un même thème ?

6. La décision de Chrysale (v. 710) clôt la scène et l'acte. Comment s'explique-t-elle sur les plans psychologique et dramaturgique ? Quel crédit lui apportez-vous ? Qu'attend le spectateur ? D'où vient l'effet comique ?

ÉCRIRE

Prolongez : Ariste rapporte à un ami l'attitude de Chrysale ; il s'en indigne et il en rit à la fois.

PERSONNAGES ET SOCIÉTÉ : pouvoir et savoir

1. Quelles sont les étapes de l'évolution de Chrysale ?

2. Que représente la philosophie pour Philaminte ? pour Chrysale ?

3. Sur quoi sont fondées les relations familiales ? sociales ? Quelle place est accordée à l'amour ? à l'argent ?

STRUCTURES : complications

4. L'acte I était celui de jeunes gens amoureux. Montrez que l'acte II est celui des parents, d'un couple en désaccord.

5. Cernez l'opposition d'Ariste et de Bélise, et leur rôle auprès de Chrysale et de Philaminte.

6. La situation semble bloquée : pourquoi ?

7. On peut distinguer deux phases dans cet acte : une montée de la tension, une chute. Quelles scènes correspondent à ces phases ?

REGISTRES ET TONALITÉS : variations comiques

8. Le comique a des origines linguistiques (ainsi chez Martine), psychologiques (caractères contrastés, prises de position caricaturales) ; il est aussi dû à des situations (intrusions de personnages, de problèmes inattendus). Analysez ces différentes causes.

ACTE III

SCÈNE PREMIÈRE. PHILAMINTE, ARMANDE, BÉLISE, TRISSOTIN, L'ÉPINE.

PHILAMINTE

Ah ! mettons-nous ici, pour écouter à l'aise
Ces vers que mot à mot il est besoin qu'on pèse.

ARMANDE

Je brûle de les voir.

BÉLISE

Et l'on s'en meurt[1] chez nous.

PHILAMINTE, *à Trissotin.*

Ce sont charmes pour moi que ce qui part de vous.

ARMANDE

715 Ce m'est une douceur à nulle autre pareille.

BÉLISE

Ce sont repas friands qu'on donne à mon oreille.

PHILAMINTE

Ne faites point languir de si pressants désirs.

ARMANDE

Dépêchez.

BÉLISE

Faites tôt, et hâtez nos plaisirs.

PHILAMINTE

À notre impatience offrez votre épigramme[2].

---

1. La métaphore est redondance hyperbolique de « je brûle de ». L'on se meurt – sous-entendu : « d'envie de les entendre ».
2. **Épigramme :** court poème souvent satirique.

TRISSOTIN, *à Philaminte.*

720 Hélas ! c'est un enfant tout nouveau-né, Madame.
Son sort assurément a lieu de vous toucher,
Et c'est dans votre cour que j'en viens d'accoucher.

PHILAMINTE

Pour me le rendre cher, il suffit de son père.

TRISSOTIN

Votre approbation lui peut servir de mère.

BÉLISE

725 Qu'il a d'esprit !

SCÈNE 2. HENRIETTE, PHILAMINTE, ARMANDE, BÉLISE, TRISSOTIN, L'ÉPINE.

PHILAMINTE, *à Henriette, qui veut se retirer.*

Holà ! pourquoi donc fuyez-vous ?

HENRIETTE

C'est de peur de troubler un entretien si doux.

PHILAMINTE

Approchez, et venez, de toutes vos oreilles,
Prendre part au plaisir d'entendre des merveilles.

HENRIETTE

Je sais peu les beautés de tout ce qu'on écrit,
730 Et ce n'est pas mon fait que les choses d'esprit.

PHILAMINTE

Il n'importe. Aussi bien ai-je à vous dire ensuite
Un secret dont il faut que vous soyez instruite.

TRISSOTIN, *à Henriette.*

Les sciences n'ont rien qui vous puisse enflammer,
Et vous ne vous piquez que de savoir charmer.

HENRIETTE

735 Aussi peu l'un que l'autre, et je n'ai nulle envie…

BÉLISE

Ah ! songeons à l'enfant nouveau-né, je vous prie.

PHILAMINTE, *à L'Épine.*

Allons, petit garçon, vite de quoi s'asseoir.

(Le laquais tombe avec la chaise.)

Voyez l'impertinent[1] ! Est-ce que l'on doit choir,
Après avoir appris l'équilibre des choses ?

BÉLISE

740 De ta chute, ignorant, ne vois-tu pas les causes,
Et qu'elle vient d'avoir du point fixe écarté
Ce que nous appelons centre de gravité ?

L'ÉPINE

Je m'en suis aperçu, Madame, étant par terre.

PHILAMINTE, *à L'Épine qui sort.*

Le lourdaud !

TRISSOTIN

Bien lui prend de n'être pas de verre.

ARMANDE

745 Ah ! de l'esprit partout !

BÉLISE

Cela ne tarit pas.

PHILAMINTE

Servez-nous promptement votre aimable repas[2].

TRISSOTIN

Pour cette grande faim qu'à mes yeux on expose,
Un plat seul de huit vers me semble peu de chose,
Et je pense qu'ici je ne ferai pas mal
750 De joindre à l'épigramme, ou bien au madrigal[3],

1. **L'impertinent :** le sot, celui qui fait ce qui ne convient pas.
2. C'est une métaphore (*cf.* v. 716), mais aussi une allusion possible au *Festin poétique* de Cotin (1665).
3. **Madrigal :** court poème exprimant une pensée ingénieuse ou galante.

Le ragoût[1] d'un sonnet qui chez une princesse
A passé pour avoir quelque délicatesse.
Il est de sel attique[2] assaisonné partout,
Et vous le trouverez, je crois, d'assez bon goût.

ARMANDE

755 Ah ! je n'en doute point.

PHILAMINTE

Donnons vite audience[3].

BÉLISE, *à chaque fois qu'il veut lire, l'interrompt.*

Je sens d'aise mon cœur tressaillir par avance.
J'aime la poésie avec entêtement,
Et surtout quand les vers sont tournés galamment[4].

PHILAMINTE

Si nous parlons toujours, il ne pourra rien dire.

TRISSOTIN

760 SO…

BÉLISE, *à Henriette.*

Silence ! ma nièce.

ARMANDE

Ah ! laissez-le donc lire.

TRISSOTIN

SONNET À LA PRINCESSE URANIE[5] SUR SA FIÈVRE

Votre prudence est endormie,
De traiter magnifiquement,
Et de loger superbement
Votre plus cruelle ennemie.

1. **Ragoût :** assaisonnement.
2. **Sel attique :** esprit fin comme celui des Grecs.
3. **Donnons vite audience :** écoutons vite.
4. **Galamment :** élégamment.
5. Sonnet de l'abbé Cotin (*Œuvres mêlées*, 1659). Titre exact : « Sonnet. À Mademoiselle de Longueville, à présent duchesse de Nemours, sur sa fièvre quarte ».

BÉLISE

765 Ah ! le joli début !

ARMANDE

Qu'il a le tour galant !

PHILAMINTE

Lui seul des vers aisés possède le talent !

ARMANDE

À « prudence endormie » il faut rendre les armes.

BÉLISE

« Loger son ennemie » est pour moi plein de charmes.

PHILAMINTE

J'aime « superbement » et « magnifiquement » :
770 Ces deux adverbes joints font admirablement.

BÉLISE

Prêtons l'oreille au reste.

TRISSOTIN

Votre prudence est endormie,
De traiter magnifiquement,
Et de loger superbement
Votre plus cruelle ennemie.

ARMANDE

« Prudence endormie ! »

BÉLISE

« Loger son ennemie ! »

PHILAMINTE

« Superbement » et « magnifiquement ! »

TRISSOTIN

Faites-la sortir, quoi qu'on die[1]*,*
De votre riche appartement,

1. Forme ancienne de subjonctif.

Où cette ingrate insolemment
775 *Attaque votre belle vie.*

BÉLISE

Ah ! tout doux, laissez-moi, de grâce, respirer.

ARMANDE

Donnez-nous, s'il vous plaît, le loisir d'admirer.

PHILAMINTE

On se sent, à ces vers, jusques au fond de l'âme,
Couler je ne sais quoi[1] qui fait que l'on se pâme.

ARMANDE

« Faites-la sortir, quoi qu'on die,
De votre riche appartement. »
780 Que « riche appartement » est là joliment dit !
Et que la métaphore est mise avec esprit !

PHILAMINTE

« Faites-la sortir, quoi qu'on die. »
Ah ! que ce « quoi qu'on die » est d'un goût admirable !
C'est, à mon sentiment, un endroit impayable[2].

ARMANDE

De « quoi qu'on die » aussi mon cœur est amoureux.

BÉLISE

785 Je suis de votre avis, « quoi qu'on die » est heureux.

ARMANDE

Je voudrais l'avoir fait.

BÉLISE

Il vaut toute une pièce.

PHILAMINTE

Mais en comprend-on bien, comme moi, la finesse ?

1. **Je ne sais quoi :** expression alors à la mode.
2. **Impayable :** sans prix.

ARMANDE ET BÉLISE

Oh, oh !

PHILAMINTE

« Faites-la sortir, quoi qu'on die. »
Que de la fièvre on prenne ici les intérêts ;
N'ayez aucun égard, moquez-vous des caquets[1],
« Faites-la sortir, quoi qu'on die,
Quoi qu'on die, quoi qu'on die ! »
790 Ce « quoi qu'on die » en dit beaucoup plus qu'il ne semble.
Je ne sais pas, pour moi, si chacun me ressemble ;
Mais j'entends là-dessous un million de mots.

BÉLISE

Il est vrai qu'il dit plus de choses qu'il n'est gros.

PHILAMINTE, *à Trissotin.*

Mais, quand vous avez fait ce charmant « quoi qu'on die »,
795 Avez-vous compris, vous, toute son énergie ?
Songiez-vous bien vous-même à tout ce qu'il nous dit,
Et pensiez-vous alors y mettre tant d'esprit ?

TRISSOTIN

Hay ! hay !

ARMANDE

J'ai fort aussi « l'ingrate » dans la tête ;
Cette ingrate de fièvre, injuste, malhonnête,
800 Qui traite mal les gens qui la logent chez eux.

PHILAMINTE

Enfin les quatrains sont admirables tous deux.
Venons-en promptement aux tiercets[2], je vous prie.

ARMANDE

Ah ! s'il vous plaît, encore une fois « quoi qu'on die ».

1. **Caquets :** racontars.
2. **Tiercets :** ou tercets.

TRISSOTIN

Faites-la sortir, quoi qu'on die...

PHILAMINTE, ARMANDE ET BÉLISE

« Quoi qu'on die ! »

TRISSOTIN

De votre riche appartement.

PHILAMINTE, ARMANDE ET BÉLISE

« Riche appartement ! »

TRISSOTIN

Où cette ingrate insolemment...

PHILAMINTE, ARMANDE ET BÉLISE

Cette « ingrate » de fièvre !

TRISSOTIN

Attaque votre belle vie.

PHILAMINTE

« Votre belle vie ! »

ARMANDE ET BÉLISE

Ah !

TRISSOTIN

Quoi ! sans respecter votre rang,
805 *Elle se prend à votre sang...*

PHILAMINTE, ARMANDE ET BÉLISE

Ah !

TRISSOTIN

Et nuit et jour vous fait outrage !
Si vous la conduisez aux bains,
Sans la marchander[1] *davantage,*
Noyez-la de vos propres mains.

1. **Marchander :** ménager.

PHILAMINTE

810 On n'en peut plus.

BÉLISE

On pâme.

ARMANDE

On se meurt de plaisir.

PHILAMINTE

De mille doux frissons vous vous sentez saisir.

ARMANDE

« Si vous la conduisez aux bains »

BÉLISE

« Sans la marchander davantage »

PHILAMINTE

« Noyez-la de vos propres mains. »
De vos propres mains, là, noyez-la dans les bains.

ARMANDE

Chaque pas dans vos vers rencontre un trait charmant.

BÉLISE

Partout on s'y promène avec ravissement.

PHILAMINTE

815 On n'y saurait marcher que sur de belles choses.

ARMANDE

Ce sont petits chemins tout parsemés de roses.

TRISSOTIN

Le sonnet donc vous semble…

PHILAMINTE

Admirable, nouveau,
Et personne jamais n'a rien fait de si beau.

BÉLISE, *à Henriette.*

Quoi ? sans émotion pendant cette lecture ?
820 Vous faites là, ma nièce, une étrange figure !

HENRIETTE

Chacun fait ici-bas la figure qu'il peut,
Ma tante ; et bel esprit, il ne l'est pas qui veut.

TRISSOTIN

Peut-être que mes vers importunent Madame.

HENRIETTE

Point : je n'écoute pas.

PHILAMINTE

Ah ! voyons l'épigramme.

TRISSOTIN

SUR UN CARROSSE DE COULEUR AMARANTE[1]
DONNÉ À UNE DAME DE SES AMIES[2]

PHILAMINTE

825 Ses titres ont toujours quelque chose de rare.

ARMANDE

À cent beaux traits d'esprit leur nouveauté prépare.

TRISSOTIN

L'Amour si chèrement m'a vendu son lien...

PHILAMINTE, ARMANDE ET BÉLISE

Ah !

TRISSOTIN

Qu'il m'en coûte déjà la moitié de mon bien ;
Et, quand tu vois ce beau carrosse,
830 *Où tant d'or se relève en bosse*[3]
Qu'il étonne tout le pays,
Et fait pompeusement triompher ma Laïs[4],

1. **Amarante :** pourpre.
2. Autre poème de l'abbé Cotin. Titre exact : « Sur un carrosse de couleur amarante, acheté pour une dame. Madrigal. »
3. **Bosse :** relief.
4. **Laïs :** courtisane célèbre de l'Antiquité grecque.

PHILAMINTE
Ah ! « ma Laïs ! » Voilà de l'érudition.

BÉLISE
L'enveloppe[1] est jolie, et vaut un million.

TRISSOTIN
Et, quand tu vois ce beau carrosse,
Où tant d'or se relève en bosse
Qu'il étonne tout le pays,
Et fait pompeusement triompher ma Laïs,
835 *Ne dis plus qu'il est amarante :*
Dis plutôt qu'il est de ma rente.

ARMANDE
Oh, oh, oh ! celui-là[2] ne s'attend point du tout.

PHILAMINTE
On n'a que lui qui puisse écrire de[3] ce goût.

BÉLISE
« Ne dis plus qu'il est amarante,
Dis plutôt qu'il est de ma rente. »
Voilà qui se décline : « ma rente, de ma rente, à ma rente ».

PHILAMINTE
Je ne sais, du moment que je vous ai connu,
840 Si sur votre sujet j'eus l'esprit prévenu,
Mais j'admire partout vos vers et votre prose.

TRISSOTIN, *à Philaminte.*
Si vous vouliez de vous nous montrer quelque chose,
À notre tour aussi nous pourrions admirer.

PHILAMINTE
Je n'ai rien fait en vers, mais j'ai lieu d'espérer
845 Que je pourrai bientôt vous montrer, en amie,

1. **L'enveloppe :** le fait de parler de sa maîtresse sous un nom d'emprunt.
2. **Celui-là :** ce dernier trait.
3. **De :** avec.

Huit chapitres du plan de notre académie[1].
Platon[2] s'est au projet simplement arrêté,
Quand de sa *République* il a fait le traité ;
Mais à l'effet[3] entier je veux pousser l'idée
850 Que j'ai sur le papier en prose accommodée.
Car enfin je me sens un étrange dépit
Du tort que l'on nous fait du côté de l'esprit ;
Et je veux nous venger, toutes tant que nous sommes,
De cette indigne classe où nous rangent les hommes,
855 De borner nos talents à des futilités,
Et nous fermer la porte aux sublimes clartés.

ARMANDE

C'est faire à notre sexe une trop grande offense,
De n'étendre l'effort de notre intelligence
Qu'à juger d'une jupe et de l'air d'un manteau,
860 Ou des beautés d'un point[4], ou d'un brocart[5] nouveau.

BÉLISE

Il faut se relever de ce honteux partage,
Et mettre hautement notre esprit hors de page[6].

TRISSOTIN

Pour les dames on sait mon respect en tous lieux ;
Et, si je rends hommage au brillant de leurs yeux,
865 De leur esprit aussi j'honore les lumières.

PHILAMINTE

Le sexe[7] aussi vous rend justice en ces matières ;
Mais nous voulons montrer à de certains esprits,

1. **Académie :** « docte assemblée » (v. 870). L'Académie française date de 1635. D'autres académies privées, parisiennes ou provinciales, existaient. Sauf exception, elles n'acceptaient pas de femmes.
2. **Platon :** philosophe grec (428-348 avant J.-C.). Dans sa *République* (livre V), il proposait un modèle de société avec même éducation des hommes et des femmes.
3. **À l'effet :** à la réalisation.
4. **Point :** point de broderie.
5. **Brocart :** riche tissu.
6. **Mettre hors de page :** émanciper.
7. **Le sexe :** les femmes.

Dont l'orgueilleux savoir nous traite avec mépris,
Que de science aussi les femmes sont meublées[1],
870 Qu'on peut faire comme eux de doctes assemblées,
Conduites en cela par des ordres[2] meilleurs,
Qu'on y veut réunir ce qu'on sépare ailleurs,
Mêler le beau langage et les hautes sciences[3],
Découvrir la nature en mille expériences,
875 Et, sur les questions qu'on pourra proposer,
Faire entrer chaque secte, et n'en point épouser[4].

TRISSOTIN

Je m'attache, pour l'ordre, au péripatétisme[5].

PHILAMINTE

Pour les abstractions, j'aime le platonisme[6].

ARMANDE

Épicure[7] me plaît, et ses dogmes sont forts.

BÉLISE

880 Je m'accommode assez pour moi des petits corps ;
Mais le vide à souffrir me semble difficile,
Et je goûte bien mieux la matière subtile[8].

TRISSOTIN

Descartes, pour l'aimant[9], donne fort dans mon sens.

1. **Meublées :** pourvues.
2. **Ordres :** principes.
3. Colbert avait fondé, en 1666, l'Académie des sciences, distincte de l'Académie française.
4. **Épouser une secte :** appartenir à une secte.
5. **Péripatétisme :** philosophie d'Aristote (384-312 avant J.-C.), maître en logique et rhétorique. Il l'enseignait en marchant (grec *peripatein* : « se promener »).
6. **Platonisme :** philosophie de Platon. Il s'élève, par abstraction, du monde sensible, changeant, au monde immuable des Idées.
7. **Épicure :** philosophe matérialiste grec (341-270 avant J.-C.), théoricien des atomes ou « petits corps » (v. 880).
8. **La matière subtile :** Épicure pensait que les atomes tombaient dans le vide, Descartes que la « matière subtile » – étendue fluide – était présente dans les corps.
9. C'est une allusion prudente au rôle complexe du magnétisme dans la physique cartésienne.

ARMANDE

J'aime ses tourbillons[1].

PHILAMINTE

Moi, ses mondes tombants[2].

ARMANDE

885 Il me tarde de voir notre assemblée ouverte,
Et de nous signaler par quelque découverte.

TRISSOTIN

On en attend beaucoup de vos vives clartés,
Et pour vous la nature a peu d'obscurités.

PHILAMINTE

Pour moi, sans me flatter, j'en ai déjà fait une,
890 Et j'ai vu clairement des hommes dans la lune[3].

BÉLISE

Je n'ai point encor vu d'hommes, comme je crois ;
Mais j'ai vu des clochers tout comme je vous vois.

ARMANDE

Nous approfondirons, ainsi que la physique,
Grammaire, histoire, vers, morale et politique.

PHILAMINTE

895 La morale a des traits dont mon cœur est épris,
Et c'était autrefois l'amour des grands esprits ;
Mais aux Stoïciens[4] je donne l'avantage,
Et je ne trouve rien de si beau que leur sage.

ARMANDE

Pour la langue, on verra dans peu nos règlements,

1. Descartes imagine le monde animé de mouvements semblables à des tourbillons comme celui du système solaire.
2. **Mondes tombants :** comètes, étoiles filantes.
3. Le sujet est à la mode. Cyrano de Bergerac avait publié, en 1657, *États et Empires de la Lune.*
4. **Stoïciens :** disciples de Zénon. Pour ces philosophes, la volonté, la maîtrise de soi, la vertu devaient l'emporter sur la sensibilité et les passions.

900 Et nous y prétendons faire des remuements[1].
Par une antipathie ou juste ou naturelle[2],
Nous avons pris chacune une haine mortelle
Pour un nombre de mots, soit ou verbes ou noms,
Que mutuellement nous nous abandonnons ;
905 Contre eux nous préparons de mortelles sentences,
Et nous devons ouvrir nos doctes conférences
Par les proscriptions de tous ces mots divers
Dont nous voulons purger et la prose et les vers.

PHILAMINTE

Mais le plus beau projet de notre académie,
910 Une entreprise noble, et dont je suis ravie,
Un dessein plein de gloire, et qui sera vanté
Chez tous les beaux esprits de la postérité,
C'est le retranchement de ces syllabes sales
Qui dans les plus beaux mots produisent des scandales,
915 Ces jouets éternels des sots de tous les temps,
Ces fades lieux communs de nos méchants[3] plaisants,
Ces sources d'un amas d'équivoques infâmes
Dont on vient faire insulte à la pudeur des femmes.

TRISSOTIN

Voilà certainement d'admirables projets !

BÉLISE

920 Vous verrez nos statuts quand ils seront tous faits.

TRISSOTIN

Ils ne sauraient manquer d'être tous beaux et sages.

ARMANDE

Nous serons par nos lois les juges des ouvrages[4].
Par nos lois, prose et vers, tout nous sera soumis ;
Nul n'aura de l'esprit hors nous et nos amis.

1. **Remuements :** profonds changements.
2. **Juste ou naturelle :** raisonnée ou instinctive.
3. **Méchants :** mauvais.
4. Cette tâche est assignée par Richelieu aux membres de l'Académie française.

SITUER

Trissotin est entré en scène ; Henriette est présente dans ce salon précieux fort actif : lecture poétique (du début de la scène au v. 841), discussion philosophique des académiciennes (du v. 842 à la fin de la scène). Mais que vaut vraiment cette activité ?

I – LA LECTURE POÉTIQUE

RÉFLÉCHIR

GENRES : poésie ou pédantisme ?

1. Qu'est-ce qu'un sonnet ? une épigramme ?

2. Sur quelles métaphores le sonnet est-il bâti ? Comment sont forgées les rimes des deux quatrains ?

3. Quel est le double sens du mot « chèrement » (v. 827) ?

4. Sur quoi repose le jeu de mots qui clôt l'épigramme ?

REGISTRES ET TONALITÉS : deux parodies d'explication de textes

5. Comment peut-on juger ce sonnet (rimes, sujet, façon de le traiter) ?

6. Comment réagissent les femmes savantes à cette lecture ? À quoi se résume leur esprit critique ? Que penser de leur goût ?

7. Finalement, qu'est-ce qui fait rire le spectateur ?

SOCIÉTÉ : un salon

8. Montrez qu'en exprimant leur amour pour la poésie, les savantes contredisent leurs principes et avouent leur goût des plaisirs physiques (v. 778-779, 810).

9. Comment Trissotin se concilie-t-il les bonnes grâces des femmes savantes ? Comment influence-t-il leur jugement ? Comment se met-il en valeur ?

MISE EN SCÈNE : le poète et sa cour

10. Quel ton doit adopter l'acteur qui joue Trissotin ? Doit-il se mettre en valeur, jouer au modeste, etc. ? Justifiez votre réponse.

11. Quelle attitude peuvent adopter les trois femmes savantes ? Par contraste, quelle est celle d'Henriette ? Que peut-elle laisser présager ?

ÉCRIRE

À la lumière de cette scène, imaginez les propos d'admiratrices à l'égard d'un chanteur ou d'un acteur à la mode (lettre, dialogue entre groupies).

II – LES ACADÉMICIENNES

RÉFLÉCHIR

STRUCTURES : jeux de rôles

1. Nos femmes savantes ont aussi des ambitions philosophiques. Dans quel ordre parlent-elles ? Qui développe le plus son projet ? Quelle hiérarchie, quels rapports d'autorité cela établit-il ?

2. De quelle nature sont les interventions de Trissotin ? Quand intervient-il ?

STRATÉGIES : professions de foi et dynamique théâtrale

3. Pourquoi peut-on voir là des professions de foi ? Quel en est le risque ? Comment Molière l'évite-t-il ?

4. Vers 877-884 : quelle impression ces rapides échanges laissent-ils sur les mérites comparés des philosophies ?

REGISTRES ET TONALITÉS : les ambitions et les moyens

5. Pourquoi les femmes savantes font-elles sourire (leurs ambitions, leurs projets, la présentation de leurs idées : vers 877 à 884) ?

6. Pourquoi peut-on cependant éprouver de l'indulgence, de la sympathie même à leur égard ?

THÈMES ET SOCIÉTÉ : apprendre et gouverner

7. En quoi les activités de trois des quatre femmes sont-elles en rupture avec la tradition (cf. le propos de Chrysale, acte II, sc. 7, v. 571-585) ?

8. Quels philosophes, quelles écoles sont cités ? A quelle époque appartiennent-ils ? Qui fait exception ?

9. Quels domaines d'étude les femmes savantes envisagent-elles de retenir ?

10. Quel but linguistique se proposent-elles ?

11. Quels sont les objectifs sociaux du projet de Philaminte ? Le but qu'elle attribuait à la philosophie* (acte II, scène 7, v. 535-541) se confirme-t-il ? Quel rôle Philaminte s'attribue-t-elle dans ce projet (*cf.* v. 844-856 : pronoms, sujets et verbes employés par Philaminte) ?

ÉCRIRE

Henriette est restée silencieuse. Imaginez son monologue intérieur. Qu'est-ce qui, dans cette scène, peut irriter une féministe d'aujourd'hui ?

925 Nous chercherons partout à trouver à redire,
Et ne verrons que nous qui sache bien écrire.

SCÈNE 3. L'ÉPINE, TRISSOTIN, PHILAMINTE, BÉLISE, ARMANDE, HENRIETTE, VADIUS.

L'ÉPINE, *à Trissotin.*
Monsieur, un homme est là qui veut parler à vous[1].
Il est vêtu de noir, et parle d'un ton doux.

TRISSOTIN
C'est cet ami savant qui m'a fait tant d'instance[2]
930 De lui donner l'honneur de votre connaissance.

PHILAMINTE
Pour le faire venir vous avez tout crédit.
(À Armande et à Bélise.)
Faisons bien les honneurs au moins de notre esprit.
(À Henriette qui s'en va.)
Holà ! je vous ai dit en paroles bien claires
Que j'ai besoin de vous.

HENRIETTE
Mais pour quelles affaires ?

PHILAMINTE
935 Venez, on va dans peu vous les faire savoir.

TRISSOTIN
Voici l'homme qui meurt du désir de vous voir.
En vous le produisant[3], je ne crains point le blâme
D'avoir admis chez vous un profane, Madame :
Il peut tenir son coin[4] parmi les beaux esprits.

PHILAMINTE
940 La main qui le présente en dit assez le prix.

---

1. **Parler à vous :** vous parler. Tournure alors correcte.
2. **Instance :** m'a demandé instamment.
3. **Produisant :** présentant.
4. **Son coin :** sa place (expression héritée du jeu de paume).

TRISSOTIN

Il a des vieux auteurs la pleine intelligence
Et sait du grec, Madame, autant qu'homme de France.

PHILAMINTE

Du grec ! ô Ciel ! du grec ? Il sait du grec, ma sœur !

BÉLISE

Ah ! ma nièce, du grec !

ARMANDE

Du grec ! quelle douceur !

PHILAMINTE

945 Quoi ? Monsieur sait du grec ? Ah ! permettez, de grâce,
Que, pour l'amour du grec, Monsieur, on vous embrasse.
(Il les baise toutes, jusques à Henriette, qui le refuse.)

HENRIETTE

Excusez-moi, Monsieur, je n'entends pas le grec.

PHILAMINTE

J'ai pour les livres grecs un merveilleux respect.

VADIUS

Je crains d'être fâcheux[1] par l'ardeur qui m'engage
950 À vous rendre aujourd'hui, Madame, mon hommage,
Et j'aurai pu troubler quelque docte entretien.

PHILAMINTE

Monsieur, avec du grec on ne peut gâter rien.

TRISSOTIN

Au reste, il fait merveille en vers ainsi qu'en prose
Et pourrait, s'il voulait, vous montrer quelque chose.

VADIUS

955 Le défaut des auteurs, dans leurs productions[2],

1. **Fâcheux :** importun.
2. **Dans leurs productions :** une fois leurs productions, leurs œuvres achevées.

C'est d'en tyranniser[1] les conversations ;
D'être au Palais, au Cours, aux ruelles, aux tables[2],
De leurs vers fatigants lecteurs infatigables.
Pour moi, je ne vois rien de plus sot, à mon sens,
960 Qu'un auteur qui partout va gueuser des encens[3],
Qui, des premiers venus saisissant les oreilles,
En fait le plus souvent les martyrs de ses veilles.
On ne m'a jamais vu ce fol entêtement ;
Et d'un Grec là-dessus je suis le sentiment,
965 Qui, par un dogme exprès[4], défend à tous ses sages
L'indigne empressement de lire leurs ouvrages.
Voici de petits vers pour de jeunes amants,
Sur quoi je voudrais bien avoir vos sentiments.

TRISSOTIN

Vos vers ont des beautés que n'ont point tous les autres.

VADIUS

970 Les Grâces et Vénus règnent dans tous les vôtres.

TRISSOTIN

Vous avez le tour libre, et le beau choix des mots.

VADIUS

On voit partout chez vous l'*ithos* et le *pathos*[5].

TRISSOTIN

Nous avons vu de vous des églogues[6] d'un style
Qui passe en doux attraits Théocrite et Virgile[7].

1. **D'en tyranniser :** de les imposer dans.
2. **Palais, Cours, ruelles, tables :** le palais de Justice, le Cours-la-Reine, les chambres à coucher où les dames de qualité recevaient et tenaient salon (une ruelle est à l'origine l'espace entre le lit et le mur), les dîners mondains.
3. **Gueuser des encens :** mendier des louanges.
4. **Un dogme exprès :** une règle impérative.
5. **L'*ithos* et le *pathos*** (termes grecs) **:** les sentiments et les passions : deux types d'effets oratoires en rhétorique classique.
6. **Églogue :** petit poème pastoral.
7. **Théocrite et Virgile :** poète grec auteur des *Idylles* et poète latin auteur des *Bucoliques*.

VADIUS

975 Vos odes[1] ont un air noble, galant et doux,
Qui laisse de bien loin votre Horace[2] après vous.

TRISSOTIN

Est-il rien d'amoureux comme vos chansonnettes ?

VADIUS

Peut-on rien voir d'égal aux sonnets que vous faites ?

TRISSOTIN

Rien qui soit plus charmant que vos petits rondeaux[3] ?

VADIUS

980 Rien de si plein d'esprit que tous vos madrigaux ?

TRISSOTIN

Aux ballades[4] surtout vous êtes admirable.

VADIUS

Et dans les bouts-rimés[5] je vous trouve adorable[6].

TRISSOTIN

Si la France pouvait connaître votre prix…

VADIUS

Si le siècle rendait justice aux beaux esprits…

TRISSOTIN

985 En carrosse doré vous iriez par les rues.

VADIUS

On verrait le public vous dresser des statues.

1. **Ode :** poème lyrique en strophes.
2. **Horace :** poète latin auteur des *Odes*.
3. **Rondeau :** poème à forme fixe, illustré surtout au Moyen Âge, repris au XVIIe siècle.
4. **Ballade :** poème inspiré au départ d'un mouvement de danse, avec refrain et envoi. Genre ancien remis à la mode au XVIIe siècle.
5. **Bout-rimé :** poème composé sur des rimes données. Jeu à la mode.
6. **Adorable :** sens fort : digne d'être adoré.

(À Trissotin.)
Hom ! C'est une ballade, et je veux que tout net
Vous m'en…

TRISSOTIN

Avez-vous vu certain petit sonnet
Sur la fièvre qui tient la princesse Uranie ?

VADIUS

990 Oui, hier[1] il me fut lu dans une compagnie.

TRISSOTIN

Vous en savez l'auteur ?

VADIUS

Non, mais je sais fort bien
Qu'à ne le point flatter son sonnet ne vaut rien.

TRISSOTIN

Beaucoup de gens pourtant le trouvent admirable.

VADIUS

Cela n'empêche pas qu'il ne soit misérable ;
995 Et, si vous l'avez vu, vous serez de mon goût.

TRISSOTIN

Je sais que là-dessus je n'en suis point du tout,
Et que d'un tel sonnet peu de gens sont capables.

VADIUS

Me préserve le Ciel d'en faire de semblables !

TRISSOTIN

Je soutiens qu'on ne peut en faire de meilleur,
1000 Et ma grande raison, c'est que j'en suis l'auteur.

VADIUS

Vous ?

1. Une seule syllabe (synérèse).

TRISSOTIN

Moi.

VADIUS

Je ne sais donc comment se fit l'affaire.

TRISSOTIN

C'est qu'on fut malheureux de ne pouvoir vous plaire.

VADIUS

Il faut qu'en écoutant j'aie eu l'esprit distrait,
Ou bien que le lecteur m'ait gâté le sonnet.
1005 Mais laissons ce discours, et voyons ma ballade.

TRISSOTIN

La ballade, à mon goût, est une chose fade.
Ce n'en est plus la mode ; elle sent son vieux temps.

VADIUS

La ballade pourtant charme beaucoup de gens.

TRISSOTIN

Cela n'empêche pas qu'elle ne me déplaise.

VADIUS

1010 Elle n'en reste pas pour cela plus mauvaise.

TRISSOTIN

Elle a pour les pédants de merveilleux appas.

VADIUS

Cependant nous voyons qu'elle ne vous plaît pas.

TRISSOTIN

Vous donnez sottement vos qualités aux autres.

VADIUS

Fort impertinemment vous me jetez les vôtres.

TRISSOTIN

1015 Allez, petit grimaud[1], barbouilleur de papier.

1. **Grimaud :** élève ignorant.

VADIUS

Allez, rimeur de balle[1], opprobre du métier.

TRISSOTIN

Allez, fripier[2] d'écrits, impudent plagiaire.

VADIUS

Allez, cuistre[3]...

PHILAMINTE

Eh ! Messieurs, que prétendez-vous faire ?

TRISSOTIN

Va, va restituer tous les honteux larcins
1020 Que réclament sur toi les Grecs et les Latins.

VADIUS

Va, va-t'en faire amende honorable au Parnasse[4]
D'avoir fait à tes vers estropier Horace.

TRISSOTIN

Souviens-toi de ton livre et de son peu de bruit.

VADIUS

Et toi, de ton libraire à l'hôpital[5] réduit.

TRISSOTIN

1025 Ma gloire est établie : en vain tu la déchires.

VADIUS

Oui, oui, je te renvoie à l'auteur des *Satires*[6].

TRISSOTIN

Je t'y renvoie aussi.

---

1. **Rimeur de balle :** ballot, paquet des colporteurs, donc marchandise sans valeur.
2. **Fripier :** marchand de vieux habits, donc ici trafiquant de vieux écrits.
3. **Cuistre :** pédant.
4. **Parnasse :** montagne consacrée par les Anciens aux muses et à Apollon, dieu de la poésie.
5. **Hôpital :** hospice pour les pauvres.
6. **L'auteur des *Satires* :** Boileau a attaqué Cotin dans ses *Satires* (*Satire IX* en particulier).

SITUER

L'harmonie règne. Trissotin, encensé par les femmes savantes, est au paradis. Survient l'ami annoncé et attendu. Quel spectacle les deux hommes vont-ils offrir à leur public féminin ?

RÉFLÉCHIR

STRUCTURES : des roses et des chardons

1. Étudiez la longueur des répliques, voire la syntaxe des vers 969 à 986. Que constatez-vous ?

2. Quelle question fait basculer le ton du dialogue entre les deux poètes ? Pourquoi ?

3. À partir de quand y a-t-il échange équilibré des piques ? En quoi l'affrontement est-il alors comique ?

PERSONNAGES : miroirs

4. Comparez Vadius et Trissotin. Vadius n'est-il qu'un double de Trissotin, ou a-t-il une autonomie psychologique ?

5. Trissotin nous apparaît sous un nouveau jour. Que met en évidence la rencontre avec Vadius ?

SOCIÉTÉ : Molière et la satire du petit monde littéraire

6. Quelles différences faites-vous entre le langage des deux pédants ? Comparez en particulier les vers 936 à 939 et la tirade de Vadius (v. 955-968).

7. Dans sa critique des pédants, Molière a un allié. Quel est-il ? Quelle figure de rhétorique le désigne ? Qu'en conclure ?

8. Définissez les règles essentielles du fonctionnement de ce monde littéraire. Quelle faute commet Vadius à l'égard de Trissotin ?

9. Molière lui-même a emprunté à de nombreux auteurs antiques et contemporains. Quelle différence voyez-vous entre les emprunts et de « honteux larcins » ? Sur quoi la rivalité des deux auteurs s'exprime-t-elle ?

MISE EN SCÈNE : stupeurs

10. Que signifie le silence progressif des femmes savantes ? le silence d'Henriette ?

VADIUS

J'ai le contentement
Qu'on voit qu'il m'a traité plus honorablement :
Il me donne, en passant, une atteinte légère,
1030 Parmi plusieurs auteurs qu'au Palais[1] on révère ;
Mais jamais dans ses vers il ne te laisse en paix,
Et l'on t'y voit partout être en butte à ses traits.

TRISSOTIN

C'est par là que j'y tiens un rang plus honorable.
Il te met dans la foule ainsi qu'un misérable ;
1035 Il croit que c'est assez d'un coup pour t'accabler,
Et ne t'a jamais fait l'honneur de redoubler ;
Mais il m'attaque à part, comme un noble adversaire
Sur qui tout son effort lui semble nécessaire ;
Et ses coups, contre moi redoublés en tous lieux,
1040 Montrent qu'il ne se croit jamais victorieux.

VADIUS

Ma plume t'apprendra quel homme je puis être.

TRISSOTIN

Et la mienne saura te faire voir ton maître.

VADIUS

Je te défie en vers, prose, grec et latin.

TRISSOTIN

Hé bien ! nous nous verrons seul à seul chez Barbin[2].

SCÈNE 4. TRISSOTIN, PHILAMINTE, ARMANDE, BÉLISE, HENRIETTE.

TRISSOTIN

1045 À mon emportement ne donnez aucun blâme :
C'est votre jugement que je défends, Madame,
Dans le sonnet qu'il a l'audace d'attaquer.

1. **Palais :** les libraires de la galerie du palais de Justice (*cf.* v. 266).
2. **Barbin :** libraire du Palais, éditeur de Molière et de Boileau.

PHILAMINTE

À vous remettre bien je me veux appliquer.
Mais parlons d'autre affaire. Approchez, Henriette.
1050 Depuis assez longtemps mon âme s'inquiète
De ce qu'aucun esprit[1] en vous ne se fait voir,
Mais je trouve un moyen de vous en faire avoir.

HENRIETTE

C'est prendre un soin pour moi qui n'est pas nécessaire :
Les doctes entretiens ne sont point mon affaire ;
1055 J'aime à vivre aisément[2], et, dans tout ce qu'on dit,
Il faut se trop peiner pour avoir de l'esprit.
C'est une ambition que je n'ai point en tête ;
Je me trouve fort bien, ma mère, d'être bête,
Et j'aime mieux n'avoir que de communs propos
1060 Que de me tourmenter pour dire de beaux mots.

PHILAMINTE

Oui, mais j'y[3] suis blessée, et ce n'est pas mon compte
De souffrir dans mon sang une pareille honte.
La beauté du visage est un frêle ornement,
Une fleur passagère, un éclat d'un moment,
1065 Et qui n'est attaché qu'à la simple épiderme ;
Mais celle de l'esprit est inhérente[4] et ferme.
J'ai donc cherché longtemps un biais de[5] vous donner
La beauté que les ans ne peuvent moissonner,
De faire entrer chez vous le désir des sciences,
1070 De vous insinuer les belles connaissances ;
Et la pensée enfin où mes vœux ont souscrit,
C'est d'attacher à vous un homme plein d'esprit ;
Et cet homme est Monsieur, que je vous détermine[6]
À voir comme l'époux que mon choix vous destine.

1. **Esprit :** curiosité intellectuelle.
2. **Aisément :** librement.
3. **J'y suis :** j'en suis.
4. **Inhérente :** fait partie intégrante de l'être.
5. **Un biais de :** un moyen pour.
6. **Détermine :** commande.

HENRIETTE

1075 Moi, ma mère ?

PHILAMINTE

Oui, vous. Faites la sotte un peu.

BÉLISE, *à Trissotin.*

Je vous entends : vos yeux demandent mon aveu
Pour engager ailleurs un cœur que je possède.
Allez, je le veux bien. À ce nœud je vous cède :
C'est un hymen qui fait votre établissement[1].

TRISSOTIN, *à Henriette.*

1080 Je ne sais que vous dire en mon ravissement,
Madame, et cet hymen dont je vois qu'on m'honore
Me met…

HENRIETTE

Tout beau, Monsieur, il n'est pas fait encore ;
Ne vous pressez pas tant.

PHILAMINTE

Comme vous répondez !
Savez-vous bien que si… Suffit, vous m'entendez.
(À Trissotin.)
1085 Elle se rendra sage ; allons, laissons-la faire.

SCÈNE 5. HENRIETTE, ARMANDE.

ARMANDE

On voit briller pour vous les soins de notre mère,
Et son choix ne pouvait d'un plus illustre époux…

HENRIETTE

Si le choix est si beau, que ne le prenez-vous ?

ARMANDE

C'est à vous, non à moi, que sa main est donnée.

1. **Établissement :** situation.

HENRIETTE

1090 Je vous le cède tout[1], comme à ma sœur aînée.

ARMANDE

Si l'hymen, comme à vous, me paraissait charmant,
J'accepterais votre offre avec ravissement.

HENRIETTE

Si j'avais, comme vous, les pédants dans la tête,
Je pourrais le trouver un parti fort honnête[2].

ARMANDE

1095 Cependant, bien qu'ici nos goûts soient différents,
Nous devons obéir, ma sœur, à nos parents :
Une mère a sur nous une entière puissance,
Et vous croyez en vain par votre résistance…

SCÈNE 6. CHRYSALE, ARISTE, CLITANDRE, HENRIETTE, ARMANDE.

CHRYSALE, *à Henriette, en lui présentant Clitandre.*

Allons, ma fille, il faut approuver mon dessein :
1100 Ôtez ce gant[3] ; touchez à Monsieur[4] dans la main,
Et le considérez désormais dans votre âme
En homme dont je veux que vous soyez la femme.

ARMANDE

De ce côté, ma sœur, vos penchants sont fort grands.

HENRIETTE

Il nous faut obéir, ma sœur, à nos parents ;
1105 Un père a sur nos vœux une entière puissance.

1. **Tout :** sans réserve.
2. **Honnête :** décent, convenable.
3. **Ôtez ce gant :** on était alors ganté pendant les réceptions.
4. **Touchez à Monsieur :** touchez la main de Monsieur. Dans la perspective d'un mariage, ce geste engage.

ARMANDE

Une mère a sa part à notre obéissance.

CHRYSALE

Qu'est-ce à dire ?

ARMANDE

Je dis que j'appréhende fort
Qu'ici ma mère et vous ne soyez pas d'accord ;
Et c'est un autre époux...

CHRYSALE

Taisez-vous, péronnelle[1] !
1110 Allez philosopher tout le soûl[2] avec elle,
Et de mes actions ne vous mêlez en rien.
Dites-lui ma pensée, et l'avertissez bien
Qu'elle ne vienne pas m'échauffer les oreilles.
Allons, vite !

ARISTE

Fort bien : vous faites des merveilles.

CLITANDRE

1115 Quel transport ! quelle joie ! Ah ! que mon sort est doux !

CHRYSALE, *à Clitandre.*

Allons, prenez sa main et passez devant nous,
Menez-la dans sa chambre. Ah ! les douces caresses !
(À Ariste.)
Tenez, mon cœur s'émeut à toutes ces tendresses ;
Cela ragaillardit tout à fait mes vieux jours,
1120 Et je me ressouviens de mes jeunes amours.

1. **Péronnelle :** bavarde prétentieuse.
2. **Tout le soûl :** tout votre soûl, autant que vous le voulez.

SITUER

Henriette se voit imposer par sa mère le pédant grotesque comme futur mari, à la grande joie d'Armande. Mais Chrysale réintroduit Clitandre. Rien décidément n'est joué.

RÉFLÉCHIR

PERSONNAGES :

Le mariage selon Philaminte (scène 4)

1. Que manque-t-il à Henriette selon Philaminte ?

2. Comment Philaminte définit-elle le gendre idéal ?

Sœurs jalouses (scène 5)

3. Comment Armande et Henriette se désignent-elles ?

Le mariage selon Chrysale (scène 6)

4. Quels verbes et modes utilise particulièrement Chrysale ?

5. Un mot pour justifier le mariage manquait à la scène 4, chez Philaminte comme chez Trissotin. Qui l'emploie ici ? À quel moment ?

REGISTRES ET TONALITÉS : revanche (scène 5)

6. Sur quoi porte l'ironie d'Armande ?

7. L'enchaînement des répliques : quels procédés expriment la tension entre les deux sœurs (étudiez en particulier la syntaxe) ?

8. Comment comprendre le rappel de leur lien familial ?

STRUCTURES : échos et nuances

9. Dans la scène 4, quelle décision de Philaminte met en danger les amours d'Henriette et de Clitandre ?

10. Quelles autres scènes de l'acte I la scène 5 nous rappelle-t-elle ? Quelle différence y a-t-il dans la relation entre les deux sœurs ?

11. Dans la scène 6, quel est le double coup de théâtre ? Cette décision a-t-elle le même poids que celle de Philaminte à la scène 4 ?

12. Une réplique de Chrysale clôt les actes II et III. A-t-il évolué ?

PERSONNAGES : clartés et ombres

1. *Philaminte, la mère*: quels traits de caractère confirme-t-elle ? Philaminte, la « femme savante » : quel sens donnez-vous maintenant à l'expression ?

2. *Trissotin*: quelles critiques Molière porte-t-il sur l'homme de lettres sur les plans littéraire et social ? Trissotin apparaît-il simplement ridicule ou est-il aussi dangereux ? Comparez-le à Vadius.

SOCIÉTÉ : les clans et les camps

3. Qui fait partie du clan de Philaminte ? Qui aurait pu en faire partie ? Quel en est le critère d'adhésion ou d'exclusion ?

4. Comparez les objectifs des pédantes et des pédants. Se recoupent-ils ? Sont-ils au contraire distincts ? Quelle influence l'attitude des unes et des autres peut-elle avoir sur la société ? Justifiez votre réponse.

5. Trissotin, pédant ridicule selon Clitandre, gendre désigné par Philaminte, entre enfin en scène. Sa présence fait-elle avancer l'intrigue ? Justifiez votre réponse.

STRATÉGIES : terrain délicat

6. Quels points de l'intrigue l'acte III éclaircit-il ? Quelles interrogations subsistent (caractères, rapports des forces) ? Quelles interrogations apparaissent ?

ACTE IV

SCÈNE PREMIÈRE. ARMANDE, PHILAMINTE.

ARMANDE

Oui, rien n'a retenu son esprit en balance :
Elle a fait vanité de son obéissance.
Son cœur, pour se livrer, à peine devant moi
S'est-il donné le temps d'en recevoir la loi,
1125 Et semblait suivre moins les volontés d'un père
Qu'affecter de braver les ordres d'une mère.

PHILAMINTE

Je lui montrerai bien aux lois de qui des deux
Les droits de la raison soumettent tous ses vœux,
Et qui doit gouverner, ou sa mère ou son père,
1130 Ou l'esprit ou le corps, la forme ou la matière[1].

ARMANDE

On vous en devait bien au moins un compliment ;
Et ce petit Monsieur en use étrangement,
De vouloir malgré vous devenir votre gendre.

PHILAMINTE

Il n'en est pas encore où son cœur peut prétendre.
1135 Je le trouvais bien fait, et j'aimais vos amours ;
Mais dans ses procédés il m'a déplu toujours.
Il sait que, Dieu merci, je me mêle d'écrire,
Et jamais il ne m'a prié[2] de lui rien lire.

1. **La forme ou la matière :** ces termes scolastiques sont hérités d'Aristote. La « forme » d'un être est un principe qui donne vie à la matière.
2. **Il ne m'a pas prié :** le participe n'est pas accordé. C'est une licence poétique qui permet de ne pas compter le « e » muet comme une syllabe.

SCÈNE 2. CLITANDRE, *entrant doucement et évitant de se montrer ;* ARMANDE, PHILAMINTE.

ARMANDE

Je ne souffrirais point, si j'étais que de vous[1],
1140 Que jamais d'Henriette il pût être l'époux.
On me ferait grand tort d'avoir quelque pensée[2]
Que là-dessus je parle en fille intéressée,
Et que le lâche tour que l'on voit qu'il me fait
Jette au fond de mon cœur quelque dépit secret :
1145 Contre de pareils coups l'âme se fortifie
Du solide secours de la philosophie,
Et par elle on se peut mettre au-dessus de tout.
Mais vous traiter ainsi, c'est vous pousser à bout :
Il est de votre honneur d'être à ses vœux contraire,
1150 Et c'est un homme enfin qui ne doit point vous plaire.
Jamais je n'ai connu, discourant entre nous,
Qu'il eût au fond du cœur de l'estime pour vous.

PHILAMINTE

Petit sot !

ARMANDE

Quelque bruit que votre gloire fasse,
Toujours à vous louer il a paru de glace.

PHILAMINTE

1155 Le brutal[3] !

ARMANDE

Et vingt fois, comme ouvrages nouveaux,
J'ai lu des vers de vous qu'il n'a point trouvés beaux.

PHILAMINTE

L'impertinent[4] !

---

1. **Que de vous :** à votre place.
2. **D'avoir quelque pensée :** de penser.
3. **Le brutal :** le grossier.
4. **L'impertinent :** le sot, celui qui fait ce qui ne convient pas (*cf.* v. 738).

ARMANDE

Souvent nous en étions aux prises ;
Et vous ne croiriez point de combien de sottises...

CLITANDRE

Eh ! doucement, de grâce : un peu de charité,
1160 Madame, ou tout au moins un peu d'honnêteté.
Quel mal vous ai-je fait ? et quelle est mon offense,
Pour armer contre moi toute votre éloquence ?
Pour vouloir me détruire, et prendre tant de soin
De me rendre odieux aux gens dont j'ai besoin ?
1165 Parlez, dites, d'où vient ce courroux effroyable ?
Je veux bien que Madame en soit juge équitable.

ARMANDE

Si j'avais le courroux dont on veut m'accuser,
Je trouverais assez de quoi l'autoriser :
Vous en seriez trop digne, et les premières flammes
1170 S'établissent des droits si sacrés sur les âmes
Qu'il faut perdre fortune[1], et renoncer au jour
Plutôt que de brûler des feux d'un autre amour.
Au changement de vœux nulle horreur ne s'égale,
Et tout cœur infidèle est un monstre en morale.

CLITANDRE

1175 Appelez-vous, Madame, une infidélité
Ce que m'a de votre âme ordonné la fierté[2] ?
Je ne fais qu'obéir aux lois qu'elle m'impose ;
Et, si je vous offense, elle seule en est cause.
Vos charmes ont d'abord[3] possédé tout mon cœur ;
1180 Il a brûlé deux ans d'une constante ardeur.
Il n'est soins empressés, devoirs, respects, services,
Dont il ne vous ait fait d'amoureux sacrifices.
Tous mes feux, tous mes soins, ne peuvent rien sur vous ;
Je vous trouve contraire à mes vœux les plus doux ;
1185 Ce que vous refusez, je l'offre au choix d'une autre.

1. **Perdre fortune :** perdre sa réputation, sa situation.
2. **La fierté :** la cruauté.
3. **D'abord :** immédiatement.

Voyez : est-ce, Madame, ou ma faute ou la vôtre ?
Mon cœur court-il au change[1], ou si[2] vous l'y poussez ?
Est-ce moi qui vous quitte, ou vous qui me chassez ?

ARMANDE

Appelez-vous, Monsieur, être à vos vœux contraire,
1190 Que de leur arracher ce qu'ils ont de vulgaire,
Et vouloir les réduire à cette pureté
Où du parfait amour consiste la beauté ?
Vous ne sauriez pour moi tenir votre pensée
Du commerce des sens[3] nette et débarrassée ?
1195 Et vous ne goûtez point, dans ses plus doux appas,
Cette union des cœurs où les corps n'entrent pas ?
Vous ne pouvez aimer que d'une amour[4] grossière ?
Qu'avec tout l'attirail des nœuds de la matière ?
Et, pour nourrir les feux que chez vous on produit,
1200 Il faut un mariage, et tout ce qui s'ensuit ?
Ah ! quel étrange amour ! et que les belles âmes
Sont bien loin de brûler de ces terrestres flammes !
Les sens n'ont point de part à toutes leurs ardeurs,
Et ce beau feu ne veut marier que les cœurs ;
1205 Comme une chose indigne, il laisse là le reste.
C'est un feu pur et net comme le feu céleste[5] ;
On ne pousse avec lui que d'honnêtes soupirs,
Et l'on ne penche point vers les sales désirs.
Rien d'impur ne se mêle au but qu'on se propose :
1210 On aime pour aimer, et non pour autre chose ;
Ce n'est qu'à l'esprit seul que vont tous les transports,
Et l'on ne s'aperçoit jamais qu'on ait un corps.

CLITANDRE

Pour moi, par un malheur, je m'aperçois, Madame,
Que j'ai, ne vous déplaise, un corps tout comme une âme ;

1. **Au change :** au changement.
2. **Si :** est-ce que ?
3. **Commerce des sens :** l'amour physique.
4. **Une amour :** le féminin est rare au singulier.
5. **Le feu céleste :** le feu lointain des étoiles.

1215 Je sens qu'il y tient trop pour le laisser à part ;
De ces détachements je ne connais point l'art ;
Le Ciel m'a dénié cette philosophie,
Et mon âme et mon corps marchent de compagnie.
Il n'est rien de plus beau, comme vous avez dit,
1220 Que ces vœux épurés qui ne vont qu'à l'esprit,
Ces unions de cœurs, et ces tendres pensées
Du commerce des sens si bien débarrassées.
Mais ces amours pour moi sont trop subtilisés :
Je suis un peu grossier, comme vous m'accusez ;
1225 J'aime avec tout moi-même, et l'amour qu'on me donne
En veut, je le confesse, à toute la personne.
Ce n'est pas là matière à de grands châtiments ;
Et, sans faire de tort à vos beaux sentiments,
Je vois que dans le monde on suit fort ma méthode,
1230 Et que le mariage est assez à la mode,
Passe pour un lien assez honnête et doux,
Pour avoir désiré de me voir votre époux,
Sans que la liberté d'une telle pensée
Ait dû vous donner lieu d'en paraître offensée.

ARMANDE

1235 Hé bien, Monsieur ! hé bien ! puisque, sans m'écouter,
Vos sentiments brutaux veulent se contenter ;
Puisque, pour vous réduire à des ardeurs fidèles,
Il faut des nœuds de chair, des chaînes corporelles,
Si ma mère le veut, je résous mon esprit
1240 À consentir pour vous à ce dont il s'agit.

CLITANDRE

Il n'est plus temps, Madame : une autre a pris la place ;
Et par un tel retour j'aurais mauvaise grâce
De maltraiter l'asile et blesser les bontés
Où je me suis sauvé de toutes vos fiertés.

PHILAMINTE

1245 Mais enfin comptez-vous, Monsieur, sur mon suffrage,
Quand vous vous promettez cet autre mariage ?
Et, dans vos visions, savez-vous, s'il vous plaît,
Que j'ai pour Henriette un autre époux tout prêt ?

CLITANDRE

Eh ! Madame ! voyez votre choix, je vous prie ;
1250 Exposez-moi, de grâce, à moins d'ignominie,
Et ne me rangez pas[1] à l'indigne destin,
De me voir le rival de Monsieur Trissotin.
L'amour des beaux esprits, qui chez vous[2] m'est contraire,
Ne pouvait m'opposer un moins noble adversaire.
1255 Il en est, et plusieurs, que, pour le bel esprit
Le mauvais goût du siècle a su mettre en crédit ;
Mais Monsieur Trissotin n'a pu duper personne,
Et chacun rend justice aux écrits qu'il nous donne.
Hors céans, on le prise en tous lieux ce qu'il vaut :
1260 Et ce qui m'a vingt fois fait tomber de mon haut,
C'est de vous voir au ciel élever des sornettes
Que vous désavoueriez si vous les aviez faites.

PHILAMINTE

Si vous jugez de lui tout autrement que nous,
C'est que nous le voyons par d'autres yeux que vous.

SCÈNE 3. TRISSOTIN, ARMANDE, PHILAMINTE, CLITANDRE.

TRISSOTIN

1265 Je viens vous annoncer une grande nouvelle.
Nous l'avons, en dormant, Madame, échappé belle :
Un monde[3] près de nous a passé tout du long,
Est chu[4] tout au travers de notre tourbillon[5],
Et s'il eût en chemin rencontré notre terre,
1270 Elle eût été brisée en morceaux comme verre.

1. **Ranger à :** réduire à.
2. **Chez vous :** dans votre esprit.
3. **Un monde :** une comète. Voir vers 884.
4. **Est chu :** est tombé. Du verbe *choir*.
5. **Tourbillon :** *cf.* note 1, p. 93.

SITUER

Clitandre surprend Armande en train de le dénoncer à Philaminte : retournera-t-il la situation ?

RÉFLÉCHIR

REGISTRES ET TONALITÉS : indignations

1. Vers 1151 à 1157 : quel thème Armande exploite-t-elle ? Quel effet est ainsi produit ?

2. Comment se manifeste l'intrusion de Clitandre ?

3. Vers 1139 à 1166 : étudiez la ponctuation des interventions des trois personnages. Que nous apprend-elle sur leur état d'esprit ?

STRUCTURES : bas les masques

4. Comment s'enchaînent les scènes 1 et 2 ?

5. Comment est mis en évidence, du vers 1175 au vers 1212, le parallèle des thèses développées par Armande et Clitandre ?

6. À quelle occasion Armande opère-t-elle un revirement total ? Que révèle-t-il ?

PERSONNAGES : amour, paroles et réalités

7. Quel est le discours officiel d'Armande sur l'amour ? Quel vers résume sa thèse (v. 1189-1212) ? Que rejette-t-elle ? Que demande-t-elle ?

8. Armande vous surprend-elle ici ? Si oui, pourquoi ?

9. L'amour selon Clitandre (v. 1213-1234) : quel vers, quel hémistiche même en donne l'essentiel ?

10. Comment comprendre particulièrement les vers 1219 à 1226 ?

11. Clitandre défend-il bien sa cause auprès de Philaminte (*cf.* v. 1249-1262) ?

STRATÉGIES : fonction de la scène

12. À quelles interrogations, sur Armande en particulier, la scène répond-elle définitivement (voir l'acte I) ? Quel progrès permet-elle sur le plan dramaturgique ?

ÉCRIRE

Imaginez et exprimez les changements de ton d'Armande (v. 1167-1174, 1189-1212, 1235-1240), et son attitude en entendant Clitandre aux vers 1241 à 1244.

PHILAMINTE

Remettons ce discours pour une autre saison :
Monsieur n'y trouverait ni rime ni raison ;
Il fait profession de chérir l'ignorance,
Et de haïr surtout l'esprit et la science.

CLITANDRE

1275 Cette vérité veut quelque adoucissement.
Je m'explique, Madame ; et je hais seulement
La science et l'esprit qui gâtent les personnes.
Ce sont choses de soi qui sont belles et bonnes ;
Mais j'aimerais mieux être au rang des ignorants
1280 Que de me voir savant comme certaines gens.

TRISSOTIN

Pour moi, je ne tiens pas, quelque effet qu'on suppose,
Que la science soit pour gâter quelque chose.

CLITANDRE

Et c'est mon sentiment qu'en faits, comme en propos,
La science est suette à faire de grands sots.

TRISSOTIN

1285 Le paradoxe est fort.

CLITANDRE

Sans être fort habile,
La preuve m'en serait, je pense, assez facile.
Si les raisons manquaient, je suis sûr qu'en tout cas
Les exemples fameux ne me manqueraient pas.

TRISSOTIN

Vous en pourriez citer qui ne concluraient guère.

CLITANDRE

1290 Je n'irais pas bien loin pour trouver mon affaire.

TRISSOTIN

Pour moi, je ne vois pas ces exemples fameux.

CLITANDRE

Moi, je les vois si bien qu'ils me crèvent les yeux.

TRISSOTIN
J'ai cru jusques ici que c'était l'ignorance
Qui faisait les grands sots, et non pas la science.

CLITANDRE
1295 Vous avez cru fort mal, et je vous suis garant
Qu'un sot savant est sot plus qu'un sot ignorant.

TRISSOTIN
Le sentiment commun est contre vos maximes,
Puisque ignorant et sot sont termes synonymes.

CLITANDRE
Si vous le voulez prendre aux usages du mot,
1300 L'alliance est plus grande entre pédant et sot.

TRISSOTIN
La sottise dans l'un se fait voir toute pure.

CLITANDRE
Et l'étude dans l'autre ajoute à la nature.

TRISSOTIN
Le savoir garde en soi son mérite éminent.

CLITANDRE
Le savoir dans un fat[1] devient impertinent[2].

TRISSOTIN
1305 Il faut que l'ignorance ait pour vous de grands charmes,
Puisque pour elle ainsi vous prenez tant les armes.

CLITANDRE
Si pour moi l'ignorance a des charmes bien grands,
C'est depuis qu'à mes yeux s'offrent certains savants.

TRISSOTIN
Ces certains savants-là peuvent, à les connaître[3],

---

1. **Un fat :** un sot.
2. **Devient impertinent :** n'a pas sa place.
3. **À les connaître :** quand on les connaît.

1310 Valoir certaines gens que nous voyons paraître[1].

CLITANDRE

Oui, si l'on s'en rapporte à ces certains savants ;
Mais on n'en convient pas chez ces certaines gens.

PHILAMINTE, *à Clitandre.*

Il me semble, Monsieur…

CLITANDRE

Eh ! Madame ! de grâce :
Monsieur est assez fort, sans qu'à son aide on passe ;
1315 Je n'ai déjà que trop d'un si rude assaillant,
Et si je me défends, ce n'est qu'en reculant.

ARMANDE

Mais l'offensante aigreur de chaque repartie
Dont vous…

CLITANDRE

Autre second[2] : je quitte la partie.

PHILAMINTE

On souffre aux entretiens ces sortes de combats,
1320 Pourvu qu'à la personne on ne s'attaque pas.

CLITANDRE

Eh ! mon Dieu ! tout cela n'a rien dont il s'offense :
Il entend raillerie[3] autant qu'homme de France ;
Et de bien d'autres traits il s'est senti piquer,
Sans que jamais sa gloire ait fait que s'en moquer.

TRISSOTIN

1325 Je ne m'étonne pas, au combat que j'essuie,
De voir prendre à Monsieur[4] la thèse qu'il appuie.
Il est fort enfoncé dans la cour, c'est tout dit[5] :

1. **Paraître :** se montrer dans le monde.
2. **Second :** allié, témoin. Le mot appartient au vocabulaire du duel.
3. **Il entend raillerie :** il comprend et supporte la raillerie.
4. **Prendre à Monsieur :** adopter par Monsieur.
5. **C'est tout dit :** c'est tout dire.

La cour, comme l'on sait, ne tient pas pour l'esprit ;
Elle a quelque intérêt d'appuyer l'ignorance,
1330 Et c'est en courtisan qu'il en prend la défense.

CLITANDRE

Vous en voulez beaucoup à cette pauvre cour,
Et son malheur est grand de voir que chaque jour
Vous autres, beaux esprits, vous déclamiez contre elle,
Que de tous vos chagrins[1] vous lui fassiez querelle,
1335 Et, sur son méchant[2] goût lui faisant son procès,
N'accusiez que lui seul de vos méchants succès.
Permettez-moi, Monsieur Trissotin, de vous dire,
Avec tout le respect que votre nom m'inspire,
Que vous feriez fort bien, vos confrères et vous,
1340 De parler de la cour d'un ton un peu plus doux ;
Qu'à le bien prendre, au fond, elle n'est pas si bête
Que vous autres Messieurs vous vous mettez en tête ;
Qu'elle a du sens commun pour se connaître à tout[3] ;
Que chez elle on se peut former quelque bon goût ;
1345 Et que l'esprit du monde y vaut, sans flatterie,
Tout le savoir obscur de la pédanterie.

TRISSOTIN

De son bon goût, Monsieur, nous voyons des effets.

CLITANDRE

Où voyez-vous, Monsieur, qu'elle l'ait si mauvais ?

TRISSOTIN

Ce que je vois, Monsieur, c'est que pour la science
1350 Rasius et Baldus[4] font honneur à la France,
Et que tout leur mérite, exposé fort au jour,
N'attire point les yeux et les dons de la cour.

1. **Chagrins :** accès de mauvaise humeur.
2. **Méchant :** mauvais.
3. **Pour se connaître à tout :** pour avoir des « clartés de tout », des connaissances dans tous les domaines.
4. **Rasius et Baldus :** Raseur et Baudet (*cf.* p. 172).

CLITANDRE

Je vois votre chagrin, et que par modestie
Vous ne vous mettez point, Monsieur, de la partie ;
1355 Et, pour ne vous point mettre aussi dans le propos,
Que font-ils pour l'État, vos habiles héros ?
Qu'est-ce que leurs écrits lui rendent de service,
Pour accuser la cour d'une horrible injustice,
Et se plaindre en tous lieux que sur leurs doctes noms
1360 Elle manque à verser la faveur de ses dons[1] ?
Leur savoir à la France est beaucoup nécessaire,
Et des livres qu'ils font la cour a bien affaire !
Il semble à trois gredins[2], dans leur petit cerveau,
Que, pour être imprimés et reliés en veau,
1365 Les voilà dans l'État d'importantes personnes ;
Qu'avec leur plume ils font les destins des couronnes ;
Qu'au moindre petit bruit de leurs productions
Ils doivent voir chez eux voler les pensions ;
Que sur eux l'univers a la vue attachée ;
1370 Que partout de leur nom la gloire est épanchée,
Et qu'en science ils sont des prodiges fameux,
Pour savoir ce qu'ont dit les autres avant eux,
Pour avoir eu trente ans des yeux et des oreilles,
Pour avoir employé neuf ou dix mille veilles
1375 À se bien barbouiller de grec et de latin,
Et se charger l'esprit d'un ténébreux butin
De tous les vieux fatras qui traînent dans les livres :
Gens qui de leur savoir paraissent toujours ivres,
Riches, pour tout mérite, en babil importun,
1380 Inhabiles à tout, vides de sens commun,
Et pleins d'un ridicule et d'une impertinence
À décrier[3] partout l'esprit et la science.

PHILAMINTE

Votre chaleur est grande, et cet emportement

---

1. **Les « dons » de la cour :** les pensions données à des artistes privilégiés.
2. **Gredin :** gueux, misérable.
3. **Décrier :** discréditer.

SITUER

Après avoir défait la rivale d'Henriette, Clitandre affronte Trissotin. Sur quel plan se placera-t-il ?

RÉFLÉCHIR

STRUCTURES : interrogatoire pressant

1. Par quels procédés Molière évite-t-il le simple énoncé de thèses opposées ?

REGISTRES ET TONALITÉS : Clitandre attaque

2. Par quels termes Clitandre définit-il les pédants ? Quels termes qualifient l'homme de cour ? Pourquoi peut-on dire que celui-ci se confond avec « l'honnête homme »* ?

3. Relevez quelques traits d'ironie de Clitandre.

SOCIÉTÉ : un grand seigneur contre un cuistre

4. Quelles sont les thèses en présence ? Qu'implique en particulier pour la création artistique l'argument de l'utilité de l'État (v. 1356, p. 123) ?

5. Que révèle, chez Molière, la confusion des deux idéaux fort différents de l' « honnête homme » et de l'homme de cour ?

PERSONNAGES : un nouveau duel

6. Clitandre avait confondu Armande. Qu'en est-il de Trissotin, du champion des femmes savantes ?

7. C'est le deuxième duel de Trissotin. Comparez-le à celui qui l'a opposé à Vadius. D'où vient le comique ? Par exemple, comment Trissotin répond-il à l'ironie de Clitandre (v. 1297-1298) ? L'a-t-il comprise ?

ÉCRIRE

Faites le portrait d'un « branché » d'aujourd'hui.

De la nature en vous marque le mouvement ;
1385 C'est le nom de rival qui dans votre âme excite…

SCÈNE 4. JULIEN, TRISSOTIN, PHILAMINTE, CLITANDRE, ARMANDE.

JULIEN

Le savant qui tantôt vous a rendu visite,
Et de qui j'ai l'honneur de me voir le valet,
Madame, vous exhorte à lire ce billet.

PHILAMINTE

Quelque important que soit ce qu'on veut que je lise,
1390 Apprenez, mon ami, que c'est une sottise
De se venir jeter au travers d'un discours,
Et qu'aux gens d'un logis il faut avoir recours,
Afin de s'introduire en valet qui sait vivre.

JULIEN

Je noterai cela, Madame, dans mon livre.

PHILAMINTE *lit.*

Trissotin s'est vanté, Madame, qu'il épouserait votre fille. Je vous donne avis que sa philosophie n'en veut qu'à vos richesses, et que vous ferez bien de ne point conclure ce mariage que vous n'ayez vu le poème que je compose contre lui. En attendant cette peinture, où je prétends vous le dépeindre de toutes ses couleurs, je vous envoie Horace, Virgile, Térence et Catulle[1]*, où vous verrez notés en marge tous les endroits qu'il a pillés.*

PHILAMINTE *poursuit.*

1395 Voilà, sur cet hymen que je me suis promis,
Un mérite attaqué de beaucoup d'ennemis ;
Et ce déchaînement aujourd'hui me convie
À faire une action qui confonde l'envie,

1. **Térence et Catulle :** poètes latins. Le premier (190 ?-159 ? av. J.-C.) est un auteur comique, le second (87 ?-54 ? av. J.-C.) un poète lyrique.

Qui lui fasse sentir que l'effort qu'elle fait
1400 De ce qu'elle veut rompre aura pressé l'effet[1].
(À Julien.)
Reportez tout cela sur l'heure à votre maître,
Et lui dites qu'afin de lui faire connaître
Quel grand état je fais de ses nobles avis
Et comme je les crois dignes d'être suivis,
(Montrant Trissotin.)
1405 Dès ce soir à Monsieur je marierai ma fille.
(À Clitandre.)
Vous, Monsieur, comme ami de toute la famille,
À signer leur contrat vous pourrez assister,
Et je vous y veux bien, de ma part, inviter.
Armande, prenez soin d'envoyer au Notaire[2]
1410 Et d'aller avertir votre sœur de l'affaire.

ARMANDE

Pour avertir ma sœur, il n'en est pas besoin,
Et Monsieur que voilà saura prendre le soin
De courir lui porter bientôt cette nouvelle,
Et disposer son cœur à vous être rebelle.

PHILAMINTE

1415 Nous verrons qui sur elle aura plus de pouvoir,
Et si je la saurai réduire à son devoir.
(Elle s'en va.)

ARMANDE

J'ai grand regret, Monsieur, de voir qu'à vos visées
Les choses ne soient pas tout à fait disposées.

CLITANDRE

Je m'en vais travailler, Madame, avec ardeur,
1420 À ne vous point laisser ce grand regret au cœur.

ARMANDE

J'ai peur que votre effort n'ait pas trop bonne issue.

1. **L'effet :** la réalisation.
2. **D'envoyer au Notaire :** d'envoyer chercher le notaire.

CLITANDRE

Peut-être verrez-vous votre crainte déçue.

ARMANDE

Je le souhaite ainsi.

CLITANDRE

J'en suis persuadé,
Et que de votre appui je serai secondé.

ARMANDE

1425 Oui, je vais vous servir de toute ma puissance.

CLITANDRE

Et ce service est sûr de ma reconnaissance.

SCÈNE 5. CHRYSALE, ARISTE, HENRIETTE, CLITANDRE.

CLITANDRE

Sans votre appui, Monsieur, je serai malheureux :
Madame votre femme a rejeté mes vœux,
Et son cœur prévenu veut Trissotin pour gendre.

CHRYSALE

1430 Mais quelle fantaisie a-t-elle donc pu prendre ?
Pourquoi diantre vouloir ce Monsieur Trissotin ?

ARISTE

C'est par l'honneur qu'il a de rimer à latin[1]
Qu'il a sur son rival emporté l'avantage.

CLITANDRE

Elle veut dès ce soir faire ce mariage.

CHRYSALE

1435 Dès ce soir ?

1. **Rimer à latin :** rimer en latin.

CLITANDRE

Dès ce soir.

CHRYSALE

Et dès ce soir je veux,
Pour la contrecarrer, vous marier tous deux.

CLITANDRE

Pour dresser le contrat, elle envoie au Notaire.

CHRYSALE

Et je vais le quérir pour celui qu'il doit faire.

CLITANDRE, *montrant Henriette.*

Et Madame doit être instruite par sa sœur
1440 De l'hymen où l'on veut qu'elle apprête son cœur.

CHRYSALE

Et moi, je lui commande, avec pleine puissance[1],
De préparer sa main à cette autre alliance.
Ah ! je leur ferai voir si, pour donner la loi,
Il est dans ma maison d'autre maître que moi.
(À Henriette.)
1445 Nous allons revenir, songez à nous attendre.
Allons, suivez mes pas, mon frère, et vous, mon gendre.

HENRIETTE, *à Ariste.*

Hélas ! dans cette humeur conservez-le toujours.

ARISTE

J'emploierai toute chose à servir vos amours.

CLITANDRE

Quelque secours puissant qu'on promette à ma flamme,
1450 Mon plus solide espoir, c'est votre cœur, Madame.

HENRIETTE

Pour mon cœur, vous pouvez vous assurer[2] de lui.

---

1. **Puissance :** la puissance paternelle.
2. **Vous assurer :** être assuré.

CLITANDRE

Je ne puis qu'être heureux, quand j'aurai son appui.

HENRIETTE

Vous voyez à quels nœuds on prétend le contraindre.

CLITANDRE

Tant qu'il sera pour moi, je ne vois rien à craindre.

HENRIETTE

1455 Je vais tout essayer pour nos vœux les plus doux ;
Et, si tous mes efforts ne me donnent à vous,
Il est une retraite[1] où notre âme se donne,
Qui m'empêchera d'être à toute autre personne.

CLITANDRE

Veuille le juste Ciel me garder en ce jour
1460 De recevoir de vous cette preuve d'amour !

1. **Il est une retraite :** la retraite dans un couvent.

SOCIÉTÉ : deux mondes

1. Quels sont les camps représentés ?

2. Quelle définition est donnée de la science ? Où se trouve l'esprit ?

REGISTRES ET TONALITÉS : les plaisirs du dévoilement

3. De qui et de quoi rit-on ? Le spectateur du XVIIe et celui du XXe siècle rient-ils des mêmes choses ?

4. À la fin de l'acte III, Henriette, à qui Philaminte veut imposer Trissotin comme mari, est isolée, sur la défensive. Clitandre revient et contre-attaque. Qui affronte-t-il et sur quels terrains ? Qui est vaincu, qui ne l'est pas ?

STRATÉGIES :

Clitandre et Philaminte

5. Clitandre réussit-il mieux que Chrysale dans son entreprise ?

6. Comment expliquer le relatif effacement de Philaminte sur qui pourtant tout repose ?

Le poète et son public

7. Molière avait son public privilégié. Quel est-il ? Comment Molière concilie-t-il la satire des ridicules de son temps et la défense de sa cause ?

ACTE V

SCÈNE PREMIÈRE. HENRIETTE, TRISSOTIN.

HENRIETTE

C'est sur le mariage où[1] ma mère s'apprête
Que j'ai voulu, Monsieur, vous parler tête à tête ;
Et j'ai cru, dans le trouble[2] où je vois la maison,
Que je pourrais vous faire écouter la raison.
1465 Je sais qu'avec mes vœux[3] vous me jugez capable
De vous porter en dot un bien considérable ;
Mais l'argent, dont on voit tant de gens faire cas,
Pour un vrai philosophe a d'indignes appas,
Et le mépris du bien et des grandeurs frivoles
1470 Ne doit point éclater dans vos seules paroles.

TRISSOTIN

Aussi n'est-ce point là ce qui me charme en vous ;
Et vos brillants attraits, vos yeux perçants et doux,
Votre grâce et votre air sont les biens, les richesses,
Qui vous ont attiré mes vœux et mes tendresses ;
1475 C'est de ces seuls trésors que je suis amoureux.

HENRIETTE

Je suis fort redevable à vos feux généreux :
Cet obligeant amour a de quoi me confondre,
Et j'ai regret, Monsieur, de n'y pouvoir répondre.
Je vous estime autant qu'on saurait estimer ;
1480 Mais je trouve un obstacle à vous pouvoir aimer :
Un cœur, vous le savez, à deux ne saurait être,
Et je sens que du mien Clitandre s'est fait maître.
Je sais qu'il a bien moins de mérite que vous,

1. **Où :** auquel.
2. **Trouble :** désordre.
3. **Mes vœux :** mon amour.

Que j'ai de méchants[1] yeux pour le choix d'un époux,
1485 Que par cent beaux talents vous devriez me plaire ;
Je vois bien que j'ai tort, mais je n'y puis que faire,
Et tout ce que sur moi peut le raisonnement,
C'est de me vouloir mal d'un[2] tel aveuglement.

TRISSOTIN

Le don de votre main, où on me fait prétendre,
1490 Me livrera ce cœur que possède Clitandre ;
Et par mille doux soins j'ai lieu de présumer
Que je pourrai trouver l'art de me faire aimer.

HENRIETTE

Non : à ses premiers vœux mon âme est attachée,
Et ne peut de vos soins, Monsieur, être touchée.
1495 Avec vous librement j'ose ici m'expliquer,
Et mon aveu n'a rien qui vous doive choquer.
Cette amoureuse ardeur qui dans les cœurs s'excite
N'est point, comme l'on sait, un effet du mérite :
Le caprice y prend part, et quand quelqu'un nous plaît,
1500 Souvent nous avons peine à dire pourquoi c'est.
Si l'on aimait, Monsieur, par choix et par sagesse,
Vous auriez tout mon cœur et toute ma tendresse ;
Mais on voit que l'amour se gouverne autrement.
Laissez-moi, je vous prie, à mon aveuglement,
1505 Et ne vous servez point de cette violence
Que pour vous on veut faire à mon obéissance.
Quand on est honnête homme, on ne veut rien devoir
À ce que des parents ont sur nous de pouvoir ;
On répugne à se faire immoler ce qu'on aime,
1510 Et l'on veut n'obtenir un cœur que de lui-même.
Ne poussez point ma mère à vouloir, par son choix,
Exercer sur mes vœux la rigueur de ses droits ;
Ôtez-moi votre amour, et portez à quelque autre
Les hommages d'un cœur aussi cher[3] que le vôtre.

---

1. **Méchant :** mauvais (*cf.* v. 1335).
2. **Me vouloir mal de :** me reprocher.
3. **Cher :** précieux.

TRISSOTIN

1515 Le moyen que ce cœur puisse vous contenter ?
Imposez-lui des lois qu'il puisse exécuter.
De ne vous point aimer peut-il être capable ?
À moins que vous cessiez, Madame, d'être aimable,
Et d'étaler aux yeux les célestes appas...

HENRIETTE

1520 Eh ! Monsieur ! laissons là ce galimatias.
Vous avez tant d'Iris, de Philis, d'Amarantes,
Que partout dans vos vers vous peignez si charmantes,
Et pour qui vous jurez tant d'amoureuse ardeur...

TRISSOTIN

C'est mon esprit qui parle, et ce n'est pas mon cœur.
1525 D'elles on ne me voit amoureux qu'en poète ;
Mais j'aime tout de bon l'adorable Henriette.

HENRIETTE

Eh ! de grâce, Monsieur...

TRISSOTIN

Si c'est vous offenser,
Mon offense envers vous n'est pas prête à cesser.
Cette ardeur, jusqu'ici de vos yeux ignorée,
1530 Vous consacre des vœux d'éternelle durée ;
Rien n'en peut arrêter les aimables transports ;
Et bien que vos beautés condamnent mes efforts,
Je ne puis refuser le secours d'une mère
Qui prétend couronner une flamme si chère ;
1535 Et, pourvu que j'obtienne un bonheur si charmant[1],
Pourvu que je vous aie, il n'importe comment.

HENRIETTE

Mais savez-vous qu'on risque un peu plus qu'on ne pense
À vouloir sur un cœur user de violence ?
Qu'il ne fait pas bien sûr[2], à vous le trancher net,

1. **Charmant :** ensorcelant (sens fort).
2. **Il ne fait pas bien sûr de :** l'on n'est pas en sécurité si...

1540 D'épouser une fille en dépit qu'elle en ait,
Et qu'elle peut aller, en se voyant contraindre,
À des ressentiments que le mari doit craindre ?

TRISSOTIN

Un tel discours n'a rien dont je sois altéré[1] :
À tous événements le sage est préparé ;
1545 Guéri par la raison des faiblesses vulgaires,
Il se met au-dessus de ces sortes d'affaires,
Et n'a garde de prendre aucune ombre d'ennui
De tout ce qui n'est pas pour dépendre de lui.

HENRIETTE

En vérité, Monsieur, je suis de vous ravie ;
1550 Et je ne pensais pas que la philosophie
Fût, si belle qu'elle est, d'instruire ainsi les gens
À porter constamment[2] de pareils accidents.
Cette fermeté d'âme à vous si singulière[3]
Mérite qu'on lui donne une illustre matière,
1555 Est digne de trouver qui[4] prenne avec amour
Les soins continuels de la mettre en son jour[5],
Et comme, à dire vrai, je n'oserais me croire
Bien propre à lui donner tout l'éclat de sa gloire,
Je le laisse à quelque autre et vous jure entre nous
1560 Que je renonce au bien[6] de vous voir mon époux.

TRISSOTIN

Nous allons voir bientôt comment ira l'affaire,
Et l'on a là-dedans fait venir le Notaire.

---

1. **Altéré :** troublé, ému.
2. **Porter constamment :** supporter avec constance.
3. **À vous si singulière :** qui vous est si particulière.
4. **Qui :** quelqu'un qui.
5. **La mettre en son jour :** la mettre au jour, en lumière.
6. **Bien :** bonheur.

SITUER

Clitandre a dit son fait à Armande. Henriette dira-t-elle le sien à Trissotin ?

RÉFLÉCHIR

REGISTRES ET TONALITÉS : gammes

1. En quoi le discours de Trissotin est-il parfois lourd de sens ? (*cf.* v. 1489-1490.) Quelle rupture présente-t-il (*cf.* v. 1529-1536) ?

2. Quel changement de ton cela provoque-t-il chez Henriette ? Pourquoi ?

PERSONNAGES : le cynique et la jeune fille

3. Par quelles expressions Henriette flatte-t-elle Trissotin (v. 1461-1470) ? Quels termes sont ambigus (v. 1476-1488) ? Quels termes sont nettement ironiques (v. 1549-1560) ?

4. Quels sont ses arguments ? Quelles qualités retrouve-t-on chez elle ?

5. En quels termes Trissotin courtise-t-il Henriette (v. 1515-1519) ?

6. Quelles qualités découvre-t-on chez lui ? Est-il vraiment sot ? Quels aspects de sa personne dévoile-t-il ?

STRATÉGIES : le pacte impossible

7. Un renversement d'attitude structure cette scène. Quelle relation Henriette voulait-elle d'abord établir avec Trissotin ? Sur quel plan l'obstination de Trissotin l'oblige-t-elle à se placer ?

8. Henriette n'a pas réussi à fléchir Trissotin. Quels vers montrent cependant qu'elle résiste encore, qu'elle n'hésite pas du moins à menacer ? Est-ce une position désespérée ou dispose-t-elle d'atouts véritables ? Justifiez votre réponse.

THÈMES : mensonges et vérités

9. Deux conceptions du mariage s'affrontent. Définissez-les.

10. Comment Trissotin conçoit-il la poésie amoureuse ? Quelle critique nouvelle Molière formule-t-il ainsi contre les précieux ?

11. Quel but au contraire Molière assigne-t-il à la littérature ? Pourquoi écrit-il des comédies ?

ÉCRIRE

Une jeune fille veut éconduire un amoureux. Celui-ci, convaincu de ses propres qualités comme du soutien de ses éventuels beaux-parents, s'entête. Imaginez le dialogue.

SCÈNE 2. CHRYSALE, CLITANDRE, MARTINE, HENRIETTE.

CHRYSALE

Ah, ma fille ! je suis bien aise de vous voir.
Allons, venez-vous-en faire votre devoir
1565 Et soumettre vos vœux aux volontés d'un père.
Je veux, je veux apprendre à vivre à votre mère,
Et, pour la mieux braver, voilà, malgré ses dents[1],
Martine que j'amène, et rétablis céans.

HENRIETTE

Vos résolutions sont dignes de louange.
1570 Gardez que[2] cette humeur, mon père, ne vous change.
Soyez ferme à vouloir ce que vous souhaitez,
Et ne vous laissez point séduire à vos bontés[3].
Ne vous relâchez pas, et faites bien en sorte
D'empêcher que sur vous ma mère ne l'emporte.

CHRYSALE

1575 Comment ! Me prenez-vous ici pour un benêt ?

HENRIETTE

M'en préserve le ciel !

CHRYSALE

Suis-je un fat, s'il vous plaît ?

HENRIETTE

Je ne dis pas cela.

CHRYSALE

Me croit-on incapable
Des fermes sentiments d'un homme raisonnable ?

HENRIETTE

Non, mon père.

---

1. **Malgré ses dents :** malgré elle.
2. **Gardez que :** prenez garde que.
3. **Séduire à vos bontés :** séduire par vos bontés.

CHRYSALE

Est-ce donc qu'à l'âge où je me vois

1580 Je n'aurais pas l'esprit d'être maître chez moi ?

HENRIETTE

Si fait.

CHRYSALE

Et que j'aurais cette faiblesse d'âme,

De me laisser mener par le nez à[1] ma femme ?

HENRIETTE

Eh ! non, mon père.

CHRYSALE

Ouais ! Qu'est-ce donc que ceci ?

Je vous trouve plaisante[2] à me parler ainsi.

HENRIETTE

1585 Si je vous ai choqué, ce n'est pas mon envie.

CHRYSALE

Ma volonté céans doit être en tout suivie.

HENRIETTE

Fort bien, mon père.

CHRYSALE

Aucun, hors moi, dans la maison,

N'a droit de commander.

HENRIETTE

Oui, vous avez raison.

CHRYSALE

C'est moi qui tiens le rang de chef de la famille.

HENRIETTE

1590 D'accord.

1. **À :** par.
2. **Plaisante :** risible.

CHRYSALE

C'est moi qui dois disposer de ma fille.

HENRIETTE

Eh ! oui.

CHRYSALE

Le ciel me donne un plein pouvoir sur vous.

HENRIETTE

Qui vous dit le contraire ?

CHRYSALE

Et, pour prendre un époux,
Je vous ferai bien voir que c'est à votre père
Qu'il vous faut obéir, non pas à votre mère.

HENRIETTE

1595 Hélas ! vous flattez là le plus doux de mes vœux.
Veuillez être obéi, c'est tout ce que je veux.

CHRYSALE

Nous verrons si ma femme, à mes désirs rebelle...

CLITANDRE

La voici qui conduit le Notaire avec elle.

CHRYSALE

Secondez-moi bien tous.

MARTINE

Laissez-moi, j'aurai soin
1600 De vous encourager, s'il en est de besoin.

SCÈNE 3. PHILAMINTE, BÉLISE, ARMANDE, TRISSOTIN, LE NOTAIRE, CHRYSALE, CLITANDRE, HENRIETTE, MARTINE.

PHILAMINTE, *au notaire.*

Vous ne sauriez changer votre style sauvage,
Et nous faire un contrat qui soit en beau langage ?

LE NOTAIRE

Notre style est très bon, et je serais un sot,
Madame, de vouloir y changer un seul mot.

BÉLISE

1605 Ah ! quelle barbarie au milieu de la France !
Mais au moins, en faveur, Monsieur, de la science,
Veuillez, au lieu d'écus, de livres et de francs,
Nous exprimer la dot en mines et talents,
Et dater par les mots d'ides et de calendes[1].

LE NOTAIRE

1610 Moi ? Si j'allais, Madame, accorder vos demandes,
Je me ferais siffler de tous mes compagnons[2].

PHILAMINTE

De cette barbarie en vain nous nous plaignons.
Allons, Monsieur, prenez la table pour écrire.
(Apercevant Martine.)
Ah ! ah ! cette impudente ose encor se produire[3] ?
1615 Pourquoi donc, s'il vous plaît, la ramener chez moi ?

CHRYSALE

Tantôt, avec loisir, on vous dira pourquoi.
Nous avons maintenant autre chose à conclure.

LE NOTAIRE

Procédons au contrat. Où donc est la future ?

PHILAMINTE

Celle que je marie est la cadette.

LE NOTAIRE

Bon.

CHRYSALE

1620 Oui. La voilà, Monsieur ; Henriette est son nom.

1. **Mines et talents** : unités monétaires de la Grèce antique. **Ides et calendes** : dates du calendrier romain.
2. **Compagnons :** confrères.
3. **Se produire :** se présenter.

LE NOTAIRE

Fort bien. Et le futur ?

PHILAMINTE, *montrant Trissotin.*

L'époux que je lui donne

Est Monsieur.

CHRYSALE, *montrant Clitandre.*

Et celui, moi, qu'en propre personne

Je prétends qu'elle épouse, est Monsieur.

LE NOTAIRE

Deux époux !

C'est trop pour la coutume[1].

PHILAMINTE

Où vous arrêtez-vous ?

1625 Mettez, mettez, Monsieur, Trissotin pour mon gendre.

CHRYSALE

Pour mon gendre mettez, mettez, Monsieur, Clitandre.

LE NOTAIRE

Mettez-vous donc d'accord, et, d'un jugement mûr
Voyez à convenir entre vous du futur.

PHILAMINTE

Suivez, suivez, Monsieur, le choix où je m'arrête.

CHRYSALE

1630 Faites, faites, Monsieur, les choses à ma tête.

LE NOTAIRE

Dites-moi donc à qui j'obéirai des deux.

PHILAMINTE, *à Chrysale.*

Quoi donc ! vous combattez les choses que je veux ?

CHRYSALE

Je ne saurais souffrir qu'on ne cherche ma fille
Que pour l'amour du bien qu'on voit dans ma famille.

1. **Coutume :** usage.

PHILAMINTE

1635 Vraiment, à votre bien on songe bien ici,
Et c'est là, pour un sage, un fort digne souci !

CHRYSALE

Enfin pour son époux j'ai fait choix de Clitandre.

PHILAMINTE, *montrant Trissotin.*

Et moi, pour son époux voici qui je veux prendre :
Mon choix sera suivi, c'est un point résolu.

CHRYSALE

1640 Ouais ! Vous le prenez là d'un ton bien absolu !

MARTINE

Ce n'est point à la femme à prescrire, et je sommes
Pour céder le dessus en toute chose aux hommes.

CHRYSALE

C'est bien dit.

MARTINE

Mon congé cent fois me fût-il hoc[1],
La poule ne doit point chanter devant[2] le coq.

CHRYSALE

1645 Sans doute.

MARTINE

Et nous voyons que d'un homme on se gausse
Quand sa femme chez lui porte le haut-de-chausse[3].

CHRYSALE

Il est vrai.

MARTINE

Si j'avais un mari, je le dis,
Je voudrais qu'il se fît le maître du logis.

1. **Être hoc :** être assuré.
2. **Devant :** avant.
3. **Porte le haut-de-chausse :** on dirait aujourd'hui : « porte la culotte » (*cf.* v. 580).

Je ne l'aimerais point, s'il faisait le Jocrisse[1] ;
1650 Et, si je contestais contre lui par caprice,
Si je parlais trop haut, je trouverais fort bon
Qu'avec quelques soufflets il rabaissât mon ton.

CHRYSALE

C'est parler comme il faut.

MARTINE

Monsieur est raisonnable
De vouloir pour sa fille un mari convenable.

CHRYSALE

1655 Oui.

MARTINE

Par quelle raison, jeune et bien fait qu'il est,
Lui refuser Clitandre ? Et pourquoi, s'il vous plaît,
Lui bailler un savant qui sans cesse épilogue[2] ?
Il lui faut un mari, non pas un pédagogue ;
Et, ne voulant savoir le grais[3], ni le latin,
1660 Elle n'a pas besoin de Monsieur Trissotin.

CHRYSALE

Fort bien.

PHILAMINTE

Il faut souffrir qu'elle jase à son aise.

MARTINE

Les savants ne sont bons que pour prêcher en chaise[4] ;
Et pour mon mari, moi, mille fois je l'ai dit,
Je ne voudrais jamais prendre un homme d'esprit.
1665 L'esprit n'est point du tout ce qu'il faut en ménage ;
Les livres cadrent mal avec le mariage ;
Et je veux, si jamais on engage ma foi,

1. **Jocrisse :** personnage de farce, stupide et faible.
2. **Épilogue :** commente et critique.
3. **Grais :** grec. Vieille prononciation.
4. **Chaise :** chaire de professeur.

Un mari qui n'ait point d'autre livre que moi,
Qui ne sache A ne[1] B, n'en déplaise à Madame,
1670 Et ne soit, en un mot, docteur que pour sa femme.

PHILAMINTE, *à Chrysale.*

Est-ce fait[2] ? et sans trouble ai-je assez écouté
Votre digne[3] interprète ?

CHRYSALE

Elle a dit vérité.

PHILAMINTE

Et moi, pour trancher court toute cette dispute,
Il faut qu'absolument mon désir s'exécute.
1675 Henriette et Monsieur seront joints de ce pas ;
Je l'ai dit, je le veux : ne me répliquez pas ;
Et si votre parole à Clitandre est donnée,
Offrez-lui le parti d'épouser son aînée.

CHRYSALE

Voilà dans cette affaire un accommodement.
(À Henriette et Clitandre.)
1680 Voyez : y donnez-vous votre consentement ?

HENRIETTE

Eh, mon père !

CLITANDRE

Eh, Monsieur !

BÉLISE

On pourrait bien lui faire
Des propositions qui pourraient mieux lui plaire ;
Mais nous établissons une espèce d'amour
Qui doit être épuré comme l'astre du jour :
1685 La substance qui pense y peut être reçue,
Mais nous en bannissons la substance étendue[4].

1. **Ne :** *ni.* Forme ancienne.
2. **Est-ce fait ? :** est-ce achevé ?
3. **Digne :** digne de vous.
4. **La substance qui pense et la substance étendue :** l'âme et le corps. Langage cartésien.

SITUER

Chrysale, accompagné de Martine qu'il vient de réengager saura-t-il imposer le mariage d'Henriette et de Clitandre ?

RÉFLÉCHIR

REGISTRES ET TONALITÉS : le langage fait le moine

1. Relevez les vers dans lesquels Philaminte critique le style juridique. Quel reproche est ainsi formulé ? En quoi est-il conforme à l'idéal des femmes savantes ?

2. À quelles métaphores recourt Martine pour se faire comprendre (v. 1643-1652) ? Pourquoi ne sont-elles pas vraisemblables dans la bouche d'une servante ?

3. Vers 1674 à 1680 : établissez chez Philaminte le champ lexical de l'autorité (*cf.* p. 218).

STRUCTURES : relais

4. Quand Martine intervient-elle ? Pourquoi ?

5. Relevez les vers qui marquent la défaite de Chrysale. À quel moment de la scène se trouvent-ils ? Y a-t-il progrès par rapport à l'acte II, scène 6 ?

PERSONNAGES : un déserteur

6. Chrysale tient-il enfin ses promesses ? Pourquoi fait-il sourire ?

THÈMES : la femme selon Martine

7. En quoi les propos du maître (*cf.* acte II, sc. 7) et de la servante se rapprochent-ils ? En quoi se distinguent-ils ? En quoi les propos de la servante sont-ils comiques ?

8. Comparez les conceptions de Martine (v. 1655-1660 et 1662-1670) et de Bélise (v. 1683-1686). Quels vers en particulier semblent se répondre ?

STRATÉGIES : impasse

9. Quelle réplique de Chrysale peut apparaître comme un petit coup de théâtre ?

10. Y a-t-il progrès dramatique ? Quelle fonction remplit finalement cette scène qui s'achève sur une intervention de Bélise ?

SCÈNE 4. ARISTE, CHRYSALE, PHILAMINTE, BÉLISE, HENRIETTE, ARMANDE, TRISSOTIN, LE NOTAIRE, CLITANDRE, MARTINE.

ARISTE

J'ai regret de troubler un mystère[1] joyeux
Par le chagrin qu'il faut que j'apporte en ces lieux.
Ces deux lettres me font porteur de deux nouvelles,
1690 Dont j'ai senti pour vous les atteintes[2] cruelles :
(À Philaminte.)
L'une pour vous me vient de votre procureur[3];
(À Chrysale.)
L'autre pour vous me vient de Lyon.

PHILAMINTE

Quel malheur,
Digne de nous troubler, pourrait-on nous écrire ?

ARISTE

Cette lettre en contient un que vous pouvez lire.

PHILAMINTE *lit.*

Madame, j'ai prié Monsieur votre frère de vous rendre[4] cette lettre, qui vous dira ce que je n'ai osé vous aller dire. La grande négligence que vous avez pour vos affaires a été cause que le clerc de votre rapporteur[5] ne m'a point averti, et vous avez perdu absolument votre procès, que vous deviez gagner.

CHRYSALE, *à Philaminte.*

1695 Votre procès perdu !

PHILAMINTE

Vous vous troublez beaucoup !
Mon cœur n'est point du tout ébranlé de ce coup.

1. **Mystère :** cérémonie (*cf.* v. 667).
2. **Atteintes :** coups.
3. **Procureur :** avoué.
4. **Rendre :** remettre.
5. **Rapporteur :** le juge qui expose l'état d'une affaire devant un tribunal.

Faites, faites paraître une âme moins commune[1]
À braver comme moi les traits de la fortune.
Le peu de soin que vous avez vous coûte quarante mille écus, et c'est à payer cette somme, avec les dépens[2], que vous êtes condamnée par arrêt de la Cour.
Condamnée ! Ah ! ce mot est choquant et n'est fait
1700 Que pour les criminels.

ARISTE

Il a tort, en effet,
Et vous vous êtes là justement récriée.
Il devrait avoir mis que vous êtes priée,
Par arrêt de la Cour, de payer au plus tôt
Quarante mille écus et les dépens qu'il faut.

PHILAMINTE

Voyons l'autre.

CHRYSALE *lit.*

Monsieur, l'amitié qui me lie à Monsieur votre frère me fait prendre intérêt à tout ce qui vous touche. Je sais que vous avez mis votre bien entre les mains d'Argante et de Damon, et je vous donne avis qu'en même jour ils ont fait tous deux banqueroute.
1705 Ô ciel ! tout à la fois perdre ainsi tout mon bien !

PHILAMINTE

Ah ! quel honteux transport[3]. Fi ! tout cela n'est rien.
Il n'est pour le vrai sage aucun revers funeste,
Et perdant toute chose, à soi-même il se reste.
Achevons notre affaire, et quittez votre ennui[4] :
(Montrant Trissotin.)
1710 Son bien peut nous suffire, et pour nous, et pour lui.

TRISSOTIN

Non, Madame, cessez de presser cette affaire.

---

1. **Une âme moins commune :** une âme moins vulgaire.
2. **Les dépens :** les frais de justice.
3. **Transport :** manifestation d'une passion.
4. **Ennui :** chagrin, tourment. Sens fort.

Je vois qu'à cet hymen tout le monde est contraire,
Et mon dessein n'est point de contraindre les gens.

PHILAMINTE

Cette réflexion vous vient en peu de temps !
1715 Elle suit de bien près, Monsieur, notre disgrâce[1].

TRISSOTIN

De tant de résistance à la fin je me lasse.
J'aime mieux renoncer à tout cet embarras,
Et ne veux point d'un cœur qui ne se donne pas.

PHILAMINTE

Je vois, je vois de vous, non pas pour votre gloire,
1720 Ce que jusques ici j'ai refusé de croire.

TRISSOTIN

Vous pouvez voir de moi tout ce que vous voudrez,
Et je regarde peu comment vous le prendrez.
Mais je ne suis point homme à souffrir l'infamie
Des refus offensants qu'il faut qu'ici j'essuie ;
1725 Je vaux bien que de moi l'on fasse plus de cas,
Et je baise les mains à qui ne me veut pas.
(Il sort.)

PHILAMINTE

Qu'il a bien découvert son âme mercenaire !
Et que peu philosophe[2] est ce qu'il vient de faire !

CLITANDRE

Je ne me vante point de l'être, mais enfin
1730 Je m'attache, Madame, à tout votre destin,
Et j'ose vous offrir, avecque ma personne,
Ce qu'on sait que de bien la fortune me donne.

PHILAMINTE

Vous me charmez, Monsieur, par ce trait généreux,

1. **Disgrâce :** malheur.
2. **Peu philosophe :** peu digne d'un sage.

Et je veux couronner vos désirs amoureux.
1735 Oui, j'accorde Henriette à l'ardeur empressée...

HENRIETTE

Non, ma mère, je change à présent de pensée.
Souffrez que je résiste à votre volonté.

CLITANDRE

Quoi ! vous vous opposez à ma félicité ?
Et, lorsqu'à mon amour je vois chacun se rendre...

HENRIETTE

1740 Je sais le peu de bien que vous avez, Clitandre,
Et je vous ai toujours souhaité pour époux,
Lorsqu'en satisfaisant à mes vœux les plus doux
J'ai vu que mon hymen ajustait[1] vos affaires ;
Mais lorsque nous avons les destins si contraires,
1745 Je vous chéris assez dans cette extrémité,
Pour ne vous charger point de notre adversité.

CLITANDRE

Tout destin avec vous me peut être agréable ;
Tout destin me serait, sans vous, insupportable.

HENRIETTE

L'amour dans son transport parle toujours ainsi.
1750 Des retours[2] importuns évitons le souci.
Rien n'use tant l'ardeur de ce nœud qui nous lie
Que les fâcheux besoins des choses de la vie ;
Et l'on en vient souvent à s'accuser tous deux
De tous les noirs chagrins qui suivent de tels feux.

ARISTE, *à Henriette.*

1755 N'est-ce que le motif que nous venons d'entendre
Qui vous fait résister à l'hymen de Clitandre ?

HENRIETTE

Sans cela, vous verriez tout mon cœur y courir,
Et je ne fuis sa main que pour le trop chérir.

1. **Ajustait :** arrangeait.
2. **Retour :** revirement.

ARISTE

Laissez-vous donc lier par des chaînes si belles.
1760 Je ne vous ai porté que de fausses nouvelles ;
Et c'est un stratagème, un surprenant[1] secours,
Que j'ai voulu tenter pour servir vos amours,
Pour détromper ma sœur, et lui faire connaître
Ce que son philosophe à l'essai pouvait être.

CHRYSALE

1765 Le Ciel en soit loué !

PHILAMINTE

J'en ai la joie au cœur,
Par le chagrin qu'aura ce lâche déserteur.
Voilà le châtiment de sa basse avarice[2],
De voir qu'avec éclat cet hymen s'accomplisse.

CHRYSALE, *à Clitandre.*

Je le savais bien, moi, que vous l'épouseriez.

ARMANDE, *à Philaminte.*

1770 Ainsi donc à leurs vœux vous me sacrifiez ?

PHILAMINTE

Ce ne sera point vous que je leur sacrifie,
Et vous avez l'appui de la philosophie,
Pour voir d'un œil content couronner leur ardeur.

BÉLISE

Qu'il prenne garde au moins que je suis dans son cœur.
1775 Par un prompt désespoir souvent on se marie,
Qu'on s'en repent après tout le temps de sa vie.

CHRYSALE, *au notaire.*

Allons, Monsieur, suivez l'ordre que j'ai prescrit,
Et faites le contrat ainsi que je l'ai dit.

1. **Surprenant :** fait pour surprendre.
2. **Avarice :** cupidité.

SITUER

Philaminte l'emportera-t-elle et Trissotin épousera-t-il Henriette ? Voilà qu'apparaît Ariste.

RÉFLÉCHIR

REGISTRES ET TONALITÉS : le bourgeois et la philosophe

1. Comment le trouble de Chrysale se manifeste-t-il (ponctuation, syntaxe) ?

2. Définissez le ton de Philaminte. À quel genre théâtral pourrait-il convenir ? Relevez dans ses propos une maxime de philosophe.

PERSONNAGES : au cœur des êtres

3. Comment Philaminte et Chrysale réagissent-ils aux deux annonces ? Qu'est-ce qui contrarie Philaminte ? Nous apparaît-elle sous un nouveau jour ou confirme-t-elle certains aspects déjà affirmés de sa personnalité ? Est-elle en accord avec ses principes ?

4. Le duo d'Henriette et de Clitandre nous apprend-il quelque chose sur eux ?

STRUCTURES

Des lettres décisives

5. Qui transmet les mauvaises nouvelles à Philaminte, puis à Chrysale ? Y a-t-il une progression dans les informations contenues dans les lettres ?

6. On peut parler de deux coups de théâtre puisque le dénouement se fait en deux temps. Quels sont-ils ?

7. Trissotin peut-il ignorer les sentiments d'Ariste à son égard ? Sa réaction est-elle vraisemblable ? La ruse d'Ariste est-elle crédible ? Pourquoi peut-on parler de *deus ex machina** ?

Vérité et fiction

8. Pourquoi la pièce ne finit-elle pas sur l'échec public de Trissotin ?

9. En quoi vraisemblance et vérité sont-elles ici nécessairement liées ?

ÉCRIRE

Trissotin, saisi d'une inquiétude tardive, revient. Imaginez la scène.

PERSONNAGES : certitudes

1. Relevez-vous des contradictions avec ce que l'on connaissait des personnages, ou cet acte renforce-t-il leur cohérence psychologique ?

SOCIÉTÉ : la défaite et l'honneur

2. Est-ce l'acte de la défaite complète des femmes savantes, ou, grâce à Philaminte, sauvent-elles quelque chose ?

3. Trissotin se dévoile et Henriette et Clitandre vont pouvoir se marier. Comment le conflit entre Philaminte et Chrysale a-t-il pu se résoudre sans qu'aucun des parents ne l'emporte ? L'homme de théâtre a choisi la solution du *deus ex machina*. Pourquoi ?

STRUCTURES : le nœud gordien tranché

4. Le coup de théâtre final et le recours au *deus ex machina* ne sont-ils qu'un moyen de sortir d'une situation bloquée sur le plan dramaturgique, ou respectent-ils – du point de vue de la comédie et des caractères – l'unité de l'ensemble ?

STRATÉGIES : rôles et opinions

5. Comment Molière maintient-il un ton comique dans une action qui se dramatise si fortement (répartition des rôles, croisements et place des interventions comiques) ?

6. Dans cet acte, quel personnage paraît être le porte-parole du courtisan Molière ? Qui se moque des pédants de façon plus caricaturale ?

POINT FINAL ?

PERSONNAGES : la comédie, la morale et la psychologie

1. Dans cette pièce, croyez-vous des personnages exemplaires ? des personnages entièrement négatifs ?

2. Quels personnages vous semblent les plus complexes ?

SOCIÉTÉ : de la bourgeoisie et de la cour

3. Quelles sont les idées de la pièce sur le mariage et la famille, le rôle de la femme, la place de l'amour et de l'argent ?

4. Quelle place Molière assigne-t-il au savoir face à « l'honnête homme » de la Cour ?

STRATÉGIES : les masques et le rire

5. Molière se cache-t-il derrière un personnage ? plusieurs ? Que lui permet – sur les plans de la comédie et des idées – la présence de personnages caricaturaux ?

6. Quelles sont, ici, les fonctions du rire ?

STRUCTURES : évolution, pauses et unité

7. Dans *Les Femmes savantes*, Molière présente d'abord la satire d'un fait social de son temps. Lequel ? Montrez la progression de l'entrée en scène d'Armande, de Bélise et de Philaminte au cours des trois premiers actes. Quand commence leur chute ? Qui est miraculeusement préservée et pourquoi ?

8. Quels sont, en dehors des valets, les personnages essentiellement comiques ? Où interviennent-ils dans chaque acte ? Quel rôle cela joue-t-il dans le ton et le rythme de la pièce ?

9. Faites le relevé de tous les duels qui opposent les personnages. Qui échappe à l'affrontement et pourquoi ?

10. Les amoureux fondent leur réussite sur une stratégie d'alliances. Avec qui, dans quel ordre et à quel moment (acte, scène) cherchent-ils à les nouer ? Quel en est le résultat ?

11. Dans quels actes l'action est-elle importante ? L'intrigue amoureuse et la satire des pédants sont-elles mêlées de façon vraisemblable ? Justifiez votre réponse.

12. Quel sens donnez-vous au mot « classique » ? Définit-il cette pièce ?

L'UNIVERS DE L'ŒUVRE

Dossier documentaire et pédagogique

LE TEXTE ET SES IMAGES

URANIE, MUSE DE L'ASTRONOMIE (P. 2)

1. Quelles sont les huit autres muses ? Quel art ou science représentent-elles ?

2. Le peintre a montré Uranie avec les symboles de son savoir. Quels sont-ils ?

3. À quels vers de Chrysale (acte II, sc. 7) et de Philaminte (acte III, sc. 2) ce tableau peut-il renvoyer ?

À LA SAVANTE INCONNUE (P. 3)

4. Comparez ce personnage à Uranie.

5. Quels détails montrent qu'il s'agit d'une femme savante ?

6. Quel contrepoint cette représentation apporte-t-elle à la pièce de Molière ?

LA FEMME SELON PHILAMINTE ? (P. 4-5)

7. Qu'est-ce qu'une allégorie ? Quels en sont ici les traits dominants (document 3) ? Dans quelle mesure correspondent-ils aux femmes savantes ? et s'en éloignent-ils ?

Le document 4 montre la cité utopique de Christine de Pisan « où les femmes cessent d'être vues comme des « monstres » et d'être injustement blâmées par les hommes » (C. Ambaud, *Lire les femmes de lettres*, Dunod, 1993). Le document 5 présente Christine de Suède (1626-1689) (assise à gauche en robe sombre) face à Descartes.

8. Que veut dire le mot « utopie » ?

9. À quel milieu vous paraissent appartenir les différents personnages du document 4 ? Quelles activités ces dames pratiquent-elles ?

10. Comment est représentée Christine de Suède dans le document 5 ? D'où vient la renommée de cette reine ?

11. Un de ces deux groupes vous paraît-il correspondre au projet d'académie de Philaminte (acte III, sc. 2) ? Justifiez votre réponse.

LA FEMME SELON CHRYSALE ? (P. 6-7)

12. Madame de Maintenon, favorite puis épouse secrète de Louis XIV, femme austère, très religieuse, fonda en 1686 l'école de Saint-Cyr pour les jeunes filles nobles sans fortune. Quels détails du document 6 montrent que nous sommes dans une école ? Quelles sont les activités pratiquées ?

13. À quel milieu vous semble appartenir la cliente du tableau de Louise Moillon (document 7) ? Pourrait-elle être un personnage de la pièce ? Lequel ? Justifiez votre réponse.

14. Dans quelle mesure les deux œuvres (documents 7 et 8) représentent-elles le même univers ? Quel tableau vous paraît illustrer plus précisément le monde de Chrysale ? Justifiez votre réponse.

LE POÈTE ET SA COUR (P. 8-9)

15. Comparez les acteurs des deux mises en scène de la page 8 (physique, vêtements et coiffure, comportement) ; comparez la lumière et le décor.

16. Dans les deux mises en scène féminines, les femmes savantes sont attrayantes. Quelles interprétations de la pièce cela suppose-t-il ?

17. Quelle mise en scène vous surprend le plus et pourquoi ? Laquelle est en revanche la plus conforme à ce que vous imaginiez et pourquoi ?

LES DUELS (P. 10-11)

18. Comment la photographie 12 rend-elle compte de l'opposition entre Vadius et Trissotin ? Comment analysez-vous la disposition entre les personnages féminins et les personnages masculins ? Pourquoi faire jouer Philaminte par un homme ? Est-ce justifié ?

19. Comparez les deux acteurs (costumes, accessoires, attitude) de la photographie 13. Quelle impression retirez-vous de cette photographie ?

20. Au XVIIe siècle, on ne tire pas l'épée dans une maison. C'est pourtant ce qu'a voulu le metteur en scène. Son choix se défend-il ?

21. Comparez les photographies des deux duels. Correspondent-elles à ce que le texte vous laissait imaginer ? Dans quelle mesure l'époque de la mise en scène peut-elle jouer ?

LE COUPLE (P. 12-13)

22. Acte I, scène 2. Armande est présente. Étudiez le jeu des regards dans ces deux photographies. Comment l'interpréter ? Comment l'attitude des personnages traduit-elle leurs relations ?

23. Silence et parole. Comment se manifeste l'accord page 12, le désaccord page 13 ?

24. Que privilégient ces deux mises en scène d'une comédie ?

PHILAMINTE ET CHRYSALE (P. 14-15).

25. Interprétez les regards et l'attitude des personnages de la photographie 16. Quel jeu joue Philaminte ? Pourquoi peut-il particulièrement bien accompagner les deux derniers vers de la scène?

26. Cette Philaminte et ce Chrysale correspondent-ils à votre lecture du texte ? Justifiez votre réponse.

27. Comment les deux mises en scène (photographies 16 et 17) traduisent-elles le désaccord du couple ? Quels sentiments paraissent exprimer dans chaque cas les acteurs ? Quelle est la mise en scène la plus comique ?

PÉDANTS ET FEMMES SAVANTES (P. 16)

28. À quoi voit-on que l'on est dans un cercle cultivé ?

29. Analysez le choix des couleurs, les contrastes entre les ombres et les lumières. Qu'en déduisez-vous ? L'esprit de la scène vous paraît-il rendu ?

QUAND MOLIÈRE ÉCRIVAIT…

La critique littéraire au temps des *Femmes savantes*

Dans les années 1660, lorsque triomphe Molière, le théâtre est un des champs privilégiés de la critique littéraire. Une pièce applaudie par les quelques centaines de personnes qui comptent dans Paris, à la Cour et dans les salons, obtient une audience plus immédiate et plus assurée d'échos que celle qui accompagne la lente diffusion d'un roman. Mais les relations entre critiques et auteurs ne sont pas toujours faciles. De *La Critique de l'École des femmes*, qui veut répondre aux adversaires précieux et pédants, à la création des personnages de Vadius et Trissotin, Molière nous le rappelle.

NAISSANCE D'UN POUVOIR

dans la seconde moitié du siècle, les salons donnent le ton. L'on y fait assaut d'esprit plus que de science. C'est à cette condition que sont reçus des bourgeois comme Chapelain, Voiture. La critique s'exprime ainsi d'abord oralement par le biais de lectures publiques et de conversations, puis par des lettres destinées aux amis absents. Mais progressivement la critique entend former la langue française au goût des mondaines et mondains, quitte à brider les auteurs. C'est ainsi que se voient les femmes savantes :

« Nous serons par nos lois les juges des ouvrages », proclame Armande (v. 922).

Le pouvoir royal comprend vite l'intérêt de surveiller les arts, le théâtre particulièrement. Se développe alors une critique officielle, depuis la rédaction des *Sentiments de l'Académie sur* le Cid (1637-1638), texte demandé par Richelieu à Chapelain, jusqu'à l'instauration, en 1663, d'un système de pensions royales que distribue le même Chapelain (1593-1674). On sait l'amertume de Trissotin de ne pas en profiter, et la défense de la Cour que lui oppose Molière, bénéficiaire justement d'une de ces pensions (*cf.* v. 1356).

Après les années 1650-1660, les ouvrages de critique se multiplient. L'abbé d'Aubignac (1604-1676) publie, en 1657, un traité de la *Pratique du théâtre* où il recommande avant tout « la vraisemblance » ; Méré dans ses *Conversations* (1669) soutient déjà que « la règle des règles » est de plaire ; le 5 janvier 1665 commence à paraître *Le Journal des Savants* qui « se propose de faire savoir ce qui se passe de nouveau dans la République des Lettres » avant que le pouvoir et l'Église réduisent ses ambitions. Mais c'est évidemment Boileau (1636-1711) qui symbolise la critique classique : cet ami de Racine et de Molière leur survécut assez pour, dans *L'Art poétique* (1674), affirmer les principes de la raison, du « bon sens », et apparaître comme un véritable chef d'école.

Mais il y a bien sûr de **nombreux écrivains mondains critiques à l'occasion**. Ils se retrouvent en particulier à l'hôtel de Rambouillet, rendez-vous de tous les beaux esprits, que Molière fréquenta même un temps. Parmi ceux-ci, Ménage, probable Vadius des *Femmes savantes*, et Cotin-Trissotin. La fameuse scène du sonnet est d'ailleurs selon certains « d'après nature ». Cotin achevait de lire son sonnet quand Ménage entra. On lui montra ces vers sans en nommer l'auteur. « Ménage les trouva ce qu'effectivement ils étaient, détestables ; là-dessus nos deux poètes se dirent à peu près l'un à l'autre les douceurs que Molière a si agréablement rimées. » (D'Olivet) D'autres (Monchesnay, Louis Racine) rapportent que Boileau donna à Molière l'idée de cette scène qui se serait passée entre le frère du poète, Gilles Boileau, et Cotin. Aussi grotesque qu'elle nous paraisse, elle n'a donc rien d'invraisemblable.

Ménage, dont Madame de Sévigné avait été l'élève, était pourtant un aimable helléniste, habitué du salon de Mademoiselle de Scudéry. Il avait applaudi aux *Précieuses ridicules*, convenant qu'il lui faudrait « brûler ce qu'[il avait] adoré et adorer ce qu'[il avait] brûlé ». Lorsque seront données

Les Femmes savantes, il ne voudra pas se reconnaître en Vadius, dans ce « savant qui parle d'un ton doux ». Il répondra à Madame de Rambouillet qui le pressait de répliquer : la pièce « est parfaitement belle, on n'y peut rien trouver à redire, ni à critiquer ».

L'abbé Cotin, en revanche, est une cible plus importante. Poète de salon, il a publié en 1665 des *Œuvres galantes*. Ce recueil de correspondance avec les « aimables personnes du beau sexe » est une incroyable suite de compliments : « désintéressé », « généreux », « équitable », « savant », tel apparaît Cotin, juge littéraire par excellence aux yeux de ces dames. Un juge qui sait flatter son public et soigner son image : s'il a la fausse modestie, la coquetterie de dire qu'il ne garde pas de brouillons de ses lettres, il prend cependant bien soin de reproduire les textes des admiratrices qui le citent ! Cotin fut d'abord l'ami de Molière. Mais, depuis 1666, il était devenu l'ennemi déclaré de Boileau et il avait traité les comédiens d'« infâmes », rappelant « les sentences les plus sévères portées depuis des siècles par l'Église contre le théâtre et ses suppôts » (Antoine Adam). Les effets de la pièce furent pour lui dévastateurs. L'abbé « n'osait plus se montrer [...], ses amis l'abandonnèrent », selon Bayle. Il ne faisait pas bon s'attirer la raillerie du dramaturge : « Quand un homme en avait été frappé, on n'osait plus s'approcher de lui [...] Il perdait même une bonne partie de son esprit. » *(ib.)* Molière et Boileau apparaissaient alors comme « les créateurs du bon goût », ceux qui faisaient tomber « tous les bureaux du bel esprit » (Louis Racine).

Les échanges, s'ils restaient verbaux, pouvaient donc être très violents et l'on respectait peu le principe affirmé par Molière et rappelé par Philaminte. En ridiculisant Ménage-Vadius et Cotin-Trissotin, Molière ne dénonce pas la critique elle-même ; il ne réfute pas, par exemple, les attaques de l'abbé Cotin. Il se borne à railler les rapports aigres-doux des auteurs entre eux ; et lorsqu'il se moque du sonnet de Cotin, en montrant simplement l'inanité des remarques de son public et l'absence justement de réelle critique, il donne à ses adversaires – et avec quel talent ! – une leçon de bon goût littéraire.

UNE ŒUVRE DE SON TEMPS ?

Les Femmes savantes : un univers de tricheurs ?

La pièce de Molière présente un petit monde centré sur des femmes qui posent de grandes questions sur l'amour, la science, la littérature. D'où vient qu'il y ait comédie ? Posent-elles mal ces questions ? Ou manquent-elles de sincérité en le faisant ? S'agit-il chez elles de maladresse naïve, de jeu social, ou d'hypocrisie ?

PRÉCIEUSES ET SAVANTES

En 1650, la préciosité est plus qu'une mode ; le phénomène « affecte les façons de penser et de sentir » (Bray), il concerne l'aristocratie et la haute bourgeoisie. Le *Dictionnaire des précieuses* de Somaize (1660), pourtant incomplet, montre son importance. Les salons – il s'agit en fait de chambres de réception ou à coucher avec alcôve et ruelle – sont le lieu d'une vie intense. En permettant aux hommes et aux femmes de se réunir, quand la vie mondaine dans le reste de l'Europe sépare les sexes, ils accréditent l'idée que la France est « le paradis des femmes » (Bluche), ils consacrent à tout le moins le pouvoir de certaines. Le salon de Madame de Rambouillet déclinant au milieu du siècle, le plus réputé est celui de Mademoiselle de Scudéry, appelée Sapho. Mais il y a aussi ceux de la duchesse de Bouillon, de la duchesse de Richelieu, de Madame de La Fayette. On y parle littérature, on y fait assaut de galanterie, on échange d'ingénieuses trouvailles de langage et de pensée.

Il s'agit de se distinguer sur les plans de l'amour, du langage, du mariage. L'amour demande une cour longue, platonique, spirituelle, « épurée des sens ». Le langage suppose une expression opaque au commun des hommes ; ses interdits portent sur la prononciation et le choix des mots, la recherche de la pureté développant celle des métaphores et des abstractions théoriques.

Certains cercles se présentent comme « des tribunaux pour les ouvrages d'esprit ». Socialement enfin, le mariage semble un mal nécessaire, il signe « l'amour fini » (Somaize) comme la soumission au pouvoir masculin. On ne sait plus trop « si l'on doit se marier avec quelqu'un ou contre quelqu'un » (Bray). Il y a, de toute façon, bien des manières de contourner une législation qui officiellement, pour protéger la famille et perpétuer la lignée, affirme l'autorité du mari. Ces femmes qui se donnent du « prix », « se passent [se contentent] d'elles seules ». (Cotin) Dans tout cela, Molière ne voit que pose, affectation, ridicule. Les précieuses seraient-elles des tricheuses ?

Les savantes

Il y a déjà chez Mademoiselle de Scudéry « une préoccupation intellectuelle envahissante » (Jean-Claude Tournand) : la romancière, la découvreuse de la Carte du Tendre aime à voir reconnaître par « les gens qui savent les choses » que « la nature toute seule ne pouvait lui avoir ouvert l'esprit au point qu'elle l'a ». Les femmes savantes, fascinées par les découvertes scientifiques auxquelles elles désirent avoir accès, désormais « veulent pénétrer d'un esprit curieux / Ce que cache la Terre et ce qu'offrent les Cieux » (*Cercle des Femmes savantes* de La Forge, 1663). Il n'est plus question de savoir-vivre mais de vivre pour savoir.

Alors que les précieuses appartiennent au monde, les savantes appartiennent à l'école, préfèrent les langues anciennes. Ainsi Madame de La Sablière, qui connaît l'astronomie et le latin, « fait de son salon un centre d'études philosophiques » (Antoine Adam). Éprises de culture, ces femmes s'intéressent aux théories les plus récentes, comme celles de Descartes popularisées par des conférenciers, des lecteurs devenus ses disciples. Ainsi de Madame de Grignan. L'ambition de la femme savante n'est plus de briller dans un cercle restreint mais d'occuper tous les terrains de l'esprit, de s'assurer « une véritable supériorité sociale » (Jean-Claude Tournand).

L'époque favorise cette ambition : les sciences atteignent un public de plus en plus large grâce au travail de vulgarisation de l'Académie des sciences, créée en 1666, au *Journal des savants*, aux cabinets de physique, de chimie, d'astronomie qui se multiplient, grâce aux lectures, aux conversations. Les conférences académiques, les leçons d'un de Lesclache, d'un de Richesource ont un succès grandissant auprès d'un public largement féminin. On quitte le terrain aimable des jeux de salon. Il ne s'agit plus comme dans les salons précieux d'être Narcisse ou Clélie (héroïne d'un roman de Mademoiselle de Scudéry), mais de connaître Alexandre, de discuter Machiavel ou Platon[1]. Ces femmes se préoccupent d'histoire, de politique. Leur savoir devient une forme de pouvoir.

À l'aristocratie de l'esprit précieux, à sa curiosité légère, au souci de plaire succèdent les ambitions plus vastes du féminisme cultivé, désireux de faire changer les choses, quitte à heurter les idées reçues. Se posent en termes nouveaux les problèmes de l'éducation des filles, du rôle de la femme dans le couple, en société. Cet idéal féminin – dont les principes sinon l'application nous semblent aujourd'hui incontestables – provoque pourtant à cette époque les portraits-charges, les satires de La Bruyère, de Boileau. Mais c'est Molière surtout qui porte les coups les plus durs. Pour Charles Perrault, ses « comédies firent tant de honte aux dames qui se piquaient trop de bel esprit [...] qu'on n'en trouva plus, ni à la Cour, ni à la Ville, et même depuis ce temps-là, elles ont été plus en garde contre la réputation de Savantes et de Précieuses, que contre celle de galantes et de déréglées ». Après avoir ridiculisé les excès des précieuses, le dramaturge va maintenant, avec plus de nuances, railler ceux des femmes savantes.

LES GRANDS PRINCIPES : L'ESPRIT ET LE CORPS

Philaminte, Armande, Bélise : trois femmes savantes, deux générations, trois portraits. Quels sont leurs principes ? Coïncident-ils avec leurs comportements ? Quel jeu ces femmes jouent-elles ?

---

1. **Alexandre :** conquérant grec (– 356 – 323 av. J.-C.)
 Machiavel : homme politique et philosophe italien (1469-1527).
 Platon : philosophe grec disciple de Socrate. Voir acte III, scène 2, note 2, p. 91.

La conception du monde des femmes savantes est guidée par un principe fondamental, exposé par Armande à Henriette, par Philaminte et Bélise à leur mari et frère :

« Le corps avec l'esprit fait figure » (v. 544).

L'être humain est double, il est matière et raison. Mais cette dualité est conflictuelle et l'esprit doit l'emporter sur le corps. Les femmes savantes entendent mettre en pratique ces convictions dans trois domaines : l'amour, la connaissance, le mariage.

Les femmes savantes devant l'amour...

Chacune des héroïnes semble tricher avec l'amour. Philaminte ne l'évoque jamais pour elle, comme s'il n'existait plus, n'avait jamais existé ou reposait sur un tel malentendu qu'il est préférable d'en enfouir le souvenir dans le silence. Si l'amour est sensualité et plaisir physique, celle qui ne voit dans le corps qu'une « guenille » (v. 539) ne peut guère s'y intéresser. Si l'amour est le bonheur bourgeois du foyer, ce n'est pas davantage son idéal, comme le montre bien le mépris qu'elle manifeste envers le bourgeois Chrysale :

« Que ce discours grossier terriblement assomme ! » (v. 535)

Si l'amour enfin est la céleste rencontre de deux âmes, elle n'en parle jamais. Pour ses filles, elle ignore le mot quand il s'agit d'Henriette et de Trissotin – un signe de lucidité honteuse ? –, et elle en use seulement à propos d'Armande et de Clitandre :

« j'aimais vos amours » (v. 1135).

Bref, Philaminte a réglé le problème, mal peut-être, mais, consciemment, de façon définitive.

Armande expose sa conception de l'amour à Henriette (acte I, sc. 1), à Clitandre (acte I, sc. 2 ; acte IV, sc. 2). Elle refuse de se soumettre à la « [...] partie animale,
Dont l'appétit grossier aux bêtes nous ravale. » (v. 47-48)

Et elle ne conçoit l'amour que débarrassé du « commerce des sens » (v. 1194). Une telle purification suppose chez l'amant une idéalisation de la femme aimée s'exprimant dans une cour aussi discrète que fervente et patiente (écho probable des lectures romanesques d'Armande). Clitandre a ainsi soupiré pendant deux ans pour Armande – écho ironique des longues années d'attente des précieux les plus zélés.

Chez Bélise, cette conception de l'amour platonique est poussée à l'extrême : l'amour est chez elle tellement idéalisé qu'il vit de langage et d'apparences, se nourrit de mots, toujours ambigus, comme de silences, et devient imaginaire. Plus encore qu'Armande, Bélise vit dans l'univers de ses lectures et de ses rêves. En chaque homme rencontré – Clitandre ou Trissotin –, évoqué – Damis, Cléonte, Dorante ou Lycidas –, Bélise voit un amoureux.

Les femmes savantes ainsi se signalent en rompant avec l'ordre naturel et social.

... devant le savoir et la connaissance

L'autre rêve de victoire sur la matière passe par l'acquisition d'un savoir aussi vaste que possible, d'un esprit savant. Armande le proclame dès la première scène :

« À l'esprit, comme nous, donnez-vous tout entière. » (v. 36)

Philaminte dans son discours-programme, les trois pédantes dans leurs interventions (acte III, sc. 2), exposent clairement leur ambition ; elles veulent montrer à « de certains esprits » « Qu'on peut faire comme eux de doctes assemblées » (v. 870).

Rien n'échappe à leur soif de savoir. Les femmes savantes rêvent d'avoir une culture philosophique encyclopédique, essentiellement grecque : Platon, Aristote, Épicure et les stoïciens, mais aussi moderne : Descartes. Bélise « goûte » chez ce dernier « la matière subtile », Armande « aime ses tourbillons », Philaminte « ses mondes tombants » (v. 884).

Bien que la spécialisation des sciences commence à compartimenter le savoir, les femmes savantes prétendent à une connaissance universelle, *in omni re scibili*, en tout champ de savoir. Bien plus, leur ambition est pratique ; il s'agit de « Découvrir la nature en mille expériences » (v. 874).

Elles aspirent à une maîtrise de l'esprit qui suppose celle des mots et celle du « beau langage ». Connaître et goûter la poésie n'est pas un simple divertissement de salon. C'est un signe d'élection, témoignage d'une sympathie entre gens du même monde, le monde des idées.

L'aboutissement en sera, en toute logique, la création d'une académie, pour rationaliser les recherches, les faire partager, favoriser les rencontres, les soutiens et la diffusion des connaissances.

Ce rêve de connaissance apparaît cependant si excessif, absolu, qu'on s'interroge : est-ce là naïveté, pureté, tricherie, romanesque nouveau ? Pourquoi en rit-on ?

... devant le mariage

Enfin les femmes savantes, rêvant de soumettre le corps à l'esprit, dénoncent le mariage comme un obstacle majeur. Il fait perdre aux femmes leur indépendance sociale en les soumettant à l'autorité du mari, leur indépendance intellectuelle en les contraignant à s'occuper « des choses du ménage » (v. 28). Il est également l'obstacle à l'amour précieux puisqu'il signifie une promiscuité destructrice d'idéal, puisqu'il fait descendre la femme-déesse de son piédestal et la lie à « des marmots d'enfants » (v. 30) Ainsi les femmes savantes voient-elles dans le mariage le grand ennemi de la liberté d'esprit à laquelle elles aspirent, de leur « libertinage d'esprit ». Peut-être cherchent-elles à se rapprocher des libertins érudits qui voulaient s'émanciper de tout dogmatisme philosophique ou religieux ? Quoi qu'il en soit, les trois femmes savantes restent remarquables par leur volonté de se distinguer, en faisant régner l'esprit sur le corps dans les domaines de l'amour, du savoir et du mariage.

LES GRANDES RÉALITÉS ET L'ÈRE DU SOUPÇON

Faut-il croire les femmes savantes et comment comprendre leurs choix ? N'y a-t-il pas là des ambiguïtés ? des hypocrisies ? des mensonges peut-être qui seront source de comique ?

Professant de telles idées, comment se fait-il que Philaminte soit mariée ? Est-ce parce qu'elle n'était pas encore une femme savante ? Est-ce par ce qu'elle a su en son temps composer avec les réalités ? Les réalités du Grand Siècle ne permettent pas de penser que la jeune Philaminte aurait eu à ce sujet droit au chapitre. Reste que son silence, l'absence de toute explication ou allusion accréditent un certain art du compromis, des échelles d'intérêts, laissent aussi penser qu'il y a dans cette frustration initiale la source inavouée d'un désir de revanche. Son attitude à l'égard du mariage des autres n'est guère plus claire. En imposant le mariage de Trissotin et d'Henriette, elle crée une triple surprise : elle favorise le lien si méprisé par les précieuses et les savantes, elle veut marier la cadette avant l'aînée, elle crée, à l'image de son propre mariage, mais de façon inversée, un nouveau couple mal assorti. Il y a certes dans son choix au moins une logique apparente : elle peut considérer que l'aînée, Armande, n'a guère besoin de mariage et qu'un amant distant comble bien les rêves d'une précieuse. Elle peut ensuite vouloir donner de l'esprit à la cadette Henriette, car « La beauté du visage est un frêle ornement » (v. 1063).

Dans les deux cas, elle prouve sa liberté d'esprit et sa force de caractère. Pourtant, cette logique ne s'imposait pas. Pourquoi ne pas donner Trissotin à Armande ? Le pédant n'aurait certainement pas refusé ; délaissée par Clitandre et engluée dans ses principes, la jeune fille aurait-elle accepté ce mariage ?

Philaminte femme de pouvoir

L'attitude de Philaminte s'explique si l'on raisonne en termes de pouvoir. Philaminte entend préserver sur son petit monde une autorité que deux personnes peuvent remettre en cause : Henriette et Clitandre, et c'est sur eux que s'exerce sa tyrannie. Donner sa fille à Trissotin, c'est faire d'une pierre trois coups : Philaminte reçoit le poète sous son toit, partage son prestige et s'en fait un allié, garde auprès d'elle sa fille – au pire réprobatrice silencieuse, au mieux convertie par raison ou lassitude. Enfin elle exclut le malheureux Clitandre qui ne reconnaît pas le génie de celle qui devait être sa belle-mère. Elle montre ainsi une clarté et une cohérence qui, jointes à son attitude à la fin de la pièce, permettent de voir en elle non une tricheuse mais une femme de tête, peut-être naïve dans sa confiance aux idées nouvelles.

Les ambiguïtés d'Armande

La critique du mariage chez Armande est moins nette ; elle ne répond pas à la seule logique du pouvoir. Certes, le pouvoir s'exerce sur l'amant : aimer, c'est d'abord – surtout ? – être aimé, et pendant deux ans Clitandre en a porté témoignage. Mais comment ne pas voir que l'attitude d'Armande est aussi commandée par l'amour blessé autant peut-être que par l'orgueil ? Il est bien vrai que voir s'échapper vers une sœur cadette et méprisée un amant deux ans fidèle, et aimé, est une humiliation. Le pouvoir est mis à mal. Mais comment concilier cette attitude et l'amour même ? Accepter le mariage, c'est avoir « un idole d'époux » ; le refuser, c'est être une idole.

Ainsi Armande, à la différence de sa mère, connaît l'amour et se trouve prise à son propre piège. Est-elle la tricheuse flouée ?

Bélise, folle ou tricheuse ?

Bélise seule semble échapper au soupçon d'agir par un goût dissimulé du pouvoir, mais non au soupçon de tricherie. Ariste et Chrysale sont d'accord : « Notre sœur est folle. » Pourtant le mot paraît bien vague pour convaincre pleinement. Bélise elle aussi ne jouerait-elle pas la comédie, et ne se la joue-t-elle pas à elle-même ? Ne joue-t-elle pas de sa folie ? Elle tourne à son avantage les propos de Clitandre, pourtant sans ambiguïtés : « Henriette, Madame, est l'objet qui me charme » (v. 288), et elle sait l'arrêter : « Non, non, je ne veux rien entendre davantage » (v. 324) quand l'exercice devient impossible et la vérité indiscutable.

Rare est la folie qui n'a pas un éclair de lucidité, qui ne laisse pas une conscience faire dans la réalité des choix habiles et favorables. La parole défend ici un plaisir qui naît d'elle, qui ne vit que par elle.

Une soif de connaissances suspecte

Les mêmes ambiguïtés se révèlent dans la volonté de créer une académie. « Je veux nous venger » (v. 853) du mépris des hommes, affirme Philaminte. D'autant plus que les femmes savantes prétendent achever le projet de Platon :

« Platon s'est au projet simplement arrêté. » (v. 847)

Les femmes savantes entendent régenter, définir et imposer les règles du goût et du beau langage, retrancher « ces syllabes sales », source de « scandales ». Le projet d'académie cesse d'être une fin pour n'être plus qu'un moyen, le projet universaliste se réduit à une censure restrictive, le désir d'une libération s'altère en rêve d'une autorité nouvelle.

L'amour et les sens, une victoire impossible

Quant à l'amour et aux sens, ils ne cèdent pas si facilement le terrain. Armande, mariée à la philosophie, divorcerait bien pour épouser Clitandre. Mais c'est surtout l'extraordinaire audition du sonnet qui, par une perversion comique, nous montre les femmes savantes, retrouvant le poids du corps, dans une extase largement sensuelle : la cour du charmeur Trissotin « se pâme » de plaisir, au point de ne pouvoir « respirer ».

C'est pourtant bien le conflit, chez les femmes savantes, entre un désir de libération et des obstacles extérieurs et personnels, conscients et inconscients, qui rend ces tricheuses ridicules attachantes.

Henriette, contrepoint séduisant ?

Henriette si sage, si directe, si peu tricheuse, ayant le simple désir de fonder une famille, d'épouser Clitandre, « Ce nœud bien assorti n'a-t-il pas des appas ? » (v. 25) s'oppose ainsi parfaitement aux paroles et aux actes des femmes savantes. On ne songe certes pas à rire d'elle. Mais cette amoureuse raisonnable ne passionne pas non plus.

Des hommes eux-mêmes tricheurs ?

En face des femmes savantes, que penser des hommes ? Chrysale rêvant d'un harem domestique ou regrettant l'époque des fredaines italiennes :

« Nous donnions chez les dames romaines » (v. 347), ou Trissotin, sournois coureur de dot et imposteur littéraire, n'enthousiasment guère. Si le premier a la franchise du bourgeois épais, il a la lâcheté du mari médiocre et soumis. Quant au second, il apparaît comme le tricheur exemplaire en feignant d'aimer Henriette pour ensuite renoncer à elle quand il la croit ruinée :

« J'aime mieux renoncer à tout cet embarras » (v. 1717).

Reste Clitandre : mais que penser d'un homme qui courtise pendant deux ans une femme, pour finalement – las de n'être pas mieux reçu – se retourner vers sa sœur ? L'amour peut-il être si raisonnable ?

En outre l'attitude digne, stoïque, de Philaminte lorsqu'elle apprend sa ruine (acte V, sc. 4) montre que le discours philosophique d'une femme savante n'est pas toujours celui d'une tricheuse. Chrysale devrait bien prendre exemple parfois sur son épouse.

Si tricherie il y a, elle semble donc le jeu partagé de cette société. Les femmes savantes en incarnent simplement une modalité, ici privilégiée par Molière.

Entre *Les Précieuses ridicules* de 1659 et *Les Femmes savantes* de 1672, Molière a accentué une charge qui conduit à s'interroger sur ses intentions. Si cette dernière pièce n'exprime pas une critique absolue – montrer que la science perd ces femmes ne signifie pas en effet nécessairement que Molière dénonce la science chez les femmes –, n'y a-t-il pourtant pas là un refus d'accepter une tentative encore maladroite, balbutiante, de féminisme, une forme d'intolérance ? Qui « triche » finalement ?

FORMES ET LANGAGES

Du sérieux au burlesque

L'HÉRITAGE MÉDIÉVAL ET ITALIEN

Au XVIIe siècle, le théâtre règne en France et la comédie s'affirme[1], au sens précis de pièce comique. Elle a déjà fort évolué depuis les farces médiévales. Jugées trop grossières, brèves, reposant sur des schémas épuisés, celles-ci ont été délaissées pour une comédie inspirée des modèles italiens, une pièce plus réaliste, jouée sur une scène avec des coulisses. Pour autant la hiérarchie des genres, héritée de l'Antiquité, maintient la comédie après la tragédie, genre noble par excellence, avec une conséquence : si la tragédie est l'objet de toutes les attentions théoriques, il n'en est pas de même de la comédie. Libre de tout héritage mythologique et historique, tout juste semble-t-elle obéir à trois critères : les personnages sont – sauf exception – de basse ou de moyenne extraction, le dénouement est heureux et l'objectif est de faire rire.

Avant les années 1660 où apparaît Molière, la comédie se situe donc entre cet ennoblissement et cette limite du genre. Mieux vaudrait d'ailleurs parler **des comédies**. Il y a juxtaposition, concurrence de formes différentes plus que triomphe d'une forme consacrée. Fantaisie, recherche du rythme et du mouvement, hasards de l'inspiration et de l'imagination sont de règle chez les Italiens. Ils jouent avec succès leur comédie de masques, leur ***commedia dell'arte***[2] : dans une forme de création

1. Si, de 1610 à 1630, onze comédies seulement sont publiées sur 164 pièces, soit 6,70 %, le pourcentage, en progression continue, passe à 51,78 % de 1652 à 1673 (R. Horville, *Molière et la comédie en France au XVIIe siècle*, Intertextes Nathan, 1983).
2. *Arte* désigne la technique, le savoir-faire des comédiens et aussi la corporation.

collective, à partir de simples canevas, ils mettent le plus souvent en scène les obstacles de l'amour ; les personnages Pantalone, Arlequin, Brighella, le Docteur deviennent populaires, et l'acteur Scaramouche inspirera Molière.

LA COMÉDIE EN FRANCE

Les comédies françaises sont, quant à elles, de plus en plus ambitieuses. Elles offrent des intrigues compliquées qui concilient le réalisme des sentiments, parfois la peinture sociale, et l'intérêt dramatique. Une double influence se précise, italienne et espagnole. La première inspire à Rotrou (*La Sœur*, 1647), puis à Quinault (*Les Rivales*, 1653) des pièces aux intrigues romanesques, aux situations exotiques où le comique « est rare et réduit à quelques bons mots, à quelques plaisanteries plaquées sur le texte » (Voltz). La seconde inspire à Scarron des pièces burlesques (*Dom Japhet d'Arménie*, 1653) où l'acteur comique Jodelet montre une remarquable inventivité verbale et gestuelle. Corneille (*Le Menteur*, 1644) doit aussi aux Espagnols des pièces où l'intrigue est plus simple mais les passions plus présentes : l'esprit et la verve l'emportent sur un comique plus direct, le plus souvent incarné par le personnage du valet. Le reste de la pièce peut d'ailleurs être un drame. Ces comédies, reconnues à la fois par le public et les lettrés, ouvrent la voie à ce qui sera la **grande comédie**.

L'APPORT DE MOLIÈRE

L'arrivée de Molière bouleverse cette hiérarchie. Pendant quinze ans, sans théoriser ni vouloir être un chef d'école, grâce à son jeu, à sa troupe, à ses pièces bien sûr, il est la référence. Sa pratique ancienne d'acteur de farces, « le succès de [ses] petits divertissements [...] à partir de novembre 1658, le triomphe des *Précieuses ridicules* en décembre 1659, provoquèrent le renouveau de la farce, ou, comme disaient les contemporains, de la petite comédie », écrit Antoine Adam ; sur les trente-sept comédies créées en France entre 1663 et 1667, le critique relève vingt-quatre pièces en un acte, dont neuf en octosyllabes (*La Feinte Mort de Jodelet* de Brécourt, *L'Apothicaire dévalisé* de Villiers). Il peut s'agir de parodies de grandes comédies, d'un fabliau mis en scène, l'histoire se réduisant le plus souvent à « un mauvais tour joué à un personnage ridicule » (Antoine Adam). Cela n'empêche évidemment pas la production de « grandes comédies », elles aussi influencées par Molière, où le comique se nourrit de plus en plus de l'observation de la vie quotidienne. Mais les frontières n'apparaissent plus toujours étanches, la création s'accommode mal des classements trop rigoureux. Molière, justement parce qu'il en use à son aise avec les règles, parce qu'il peut ouvrir – de façon « archaïque » (Colette et Jacques Scherer) – une pièce par une discussion générale sur le mariage et la vie intellectuelle des femmes, ou pousser jusqu'à l'invraisemblance le comique, l'entêtement, la monomanie d'un Harpagon, d'un Tartuffe ou d'une Philaminte, découvre un champ de libertés. La farce, le burlesque peuvent faire intrusion dans la digne comédie.

LES FEMMES SAVANTES : UNE FAUSSE COMÉDIE ?

La comédie des *Femmes savantes* apparaît à cet égard exemplaire. Sa longue élaboration en fait une pièce plus ample, formellement plus complexe que la farce des *Précieuses*. Le sujet conduit Molière à des situations qui pourraient frôler le drame. Certaines scènes fonctionnent ainsi entre elles comme étapes d'une dramatisation qui maintient l'intérêt, peut-être au détriment du comique même.

C'est le cas, par exemple, de scènes qui concernent les trois jeunes gens. À l'acte I, scène 1, deux sœurs confrontent leur conception de l'amour ; à l'acte IV, scène 2, c'est le tour d'Armande et de Clitandre. La première scène en reste à un affrontement théorique ; il s'agit surtout de détourner Henriette du mariage et de l'enrôler dans le camp des savantes. En revanche, dans la scène 2 de l'acte IV, Armande cherche à reconquérir Clitandre ; si le spectateur-lecteur sourit de la

« philosophe » prise à son piège, il a conscience qu'elle est profondément touchée ; la blessure passionnelle punit, rachète le mensonge de comédie mais rend aussi la scène moins souriante.

De même, à deux reprises (acte I, sc. 2 et acte III, sc. 5) Armande et Henriette évoquent le pouvoir des parents. La première fois, l'aînée veut enlever tout espoir à sa cadette, mais ses arguments ne sont pas convaincants ; dans l'autre scène, Trissotin étant l'époux désigné, Armande veut briser toute résistance chez sa sœur ; la domination exclut alors le comique. Enfin à l'acte I, scène 2 et à l'acte IV, scène 2, Clitandre expose à Armande les raisons de son choix : la première fois, le jeune homme apparaît sincère et la froisse involontairement ; mais par la suite il se défend, et la franchise devient une arme contre celle qui est désormais une ennemie. La cruauté de la défaite d'Armande, la réalité des dangers courus par les amoureux sont ainsi mises en évidence par cette construction dramatique : c'est à un nouveau type de comédie, c'est à la « grande comédie » qu'on a alors affaire.

Faut-il même parler d'un assombrissement progressif du ton ? L'arrivée si attendue de Trissotin (acte III, sc. 2) ouvre l'acte par la scène fameuse du sonnet, scène comique s'il en est. Mais le changement de statut du pédant, qui de poète de salon devient futur gendre, rend le spectacle plus sérieux, et colore autrement la scène initiale où, paon, il faisait la roue. Son duel avec Henriette (acte V, sc. 1) évoque le duel Armande-Clitandre. Sa cour doucereuse, hypocrite, son cynisme, son aveu brutal : « Pourvu que je vous aie, il n'importe comment » (v. 1536) marquent un blocage de la situation dramatique.

Si *Les Femmes savantes* est une vraie comédie, au sens plein du terme, c'est donc en un sens plus complexe, plus riche que dans la farce ou dans la comédie italienne.

RIRE MALGRÉ TOUT

Les Femmes savantes frappent ainsi par leur ton sérieux, parfois grave, mais cette tonalité est sans arrêt brisée par les incursions d'un comique qui fait tourbillonner la pièce, la conduisant aux limites de la chimère, de la déraison. Deux procédés le permettent : l'un porte sur le langage, l'autre sur les situations.

Le comique de mots

Un premier comique est déjà sensible dans le choix des noms des pédants, celui de Trissotin surtout. On sait qu'il se fonde sur un jeu de mots : trois fois Cotin, trois fois sot[1]. De plus, ce nom est placé à la rime avec « latin » à quatre reprises (v. 609, 650, 1432, 1659). Trissotin rejoint ainsi les autres pédants à latin, Vadius présent, Rasius et Baldus cités : leur nom latinisé en *–us* est démodé, il est pour les deux derniers douloureusement évocateur (« raseur » et « baudet »). Quant à l'imagination créatrice de nos pédants, elle se concentre sur la variété des injures échangées, parfait reflet de leur lucidité à sens unique comme de leur situation socioculturelle. La vivacité des duellistes, la spontanéité des trouvailles, la capacité à jouer de métaphores qui tiennent du décalage léger et du synonyme – « le rimeur de balle » appelle « le fripier d'écrits » –, accentuent encore *a posteriori* la pesanteur du sonnet. Trissotin apparaît ici bien meilleur que... Cotin ; la jalousie, l'amour-propre blessé et la méchanceté inspirent davantage que les dames fiévreuses.

Un jeu plus subtil existe dans le quiproquo entre Bélise et Clitandre (acte I, sc. 4). *A priori* Bélise est une folle qui ne veut pas comprendre ce qui lui est dit si clairement ; pourtant, en trois vers (v. 298, 299, 300) Clitandre cite trois fois le nom d'Henriette. Mais la rhétorique de la cour précieuse imposait la discrétion, et à ce titre Bélise est fondée à croire que c'est là une déclaration raffinée, dont l'allusion, le détour pouvaient effectivement paraître ingénieux. Ainsi plus Clitandre parle d'Henriette, plus il s'attire sur un plan inattendu la reconnaissance émue de Bélise, plus Molière montre comment, à trop

1. L'abbé Cotin dut apprécier le choix de ce multiple, lui si fier d'avoir « un chiffre [...] composé de deux C entrelacés (Charles Cotin) » où il voyait « un cercle » indiquant « le rond de la terre que [ses] œuvres rempliront » !

jouer sur les mots, les précieuses se retrouvent prisonnières risibles de leurs propres miroirs.

Le comique dans la réflexion sur le lexique

Les savantes prétendent régenter la langue. Elles oublient cependant parfois le « bon usage » : Philaminte emploie « caquet », « jaser », Armande « claquemurer », « marmot », refusés par Richelet. Elles veulent surtout retrancher « ces syllabes sales/ Qui dans les plus beaux mots produisent des scandales ».

Molière n'a rien exagéré dans une société où « la pudeur [pouvait aller] jusqu'au calembour » (Ferdinand Brunot). Le verbe « inculquer » fut par exemple menacé d'être interdit, non pour son sens mais pour ses sonorités ; « convaincu » était pour la même raison frappé d'interdit. Or le plat devant lequel se pâment Philaminte, Armande et Bélise est assaisonné non de « sel attique » mais de « gros sel gaulois » (Jacques-Henri Périvier). L'expression « quoi qu'on die », admirée au point qu'elle est répétée plus d'une douzaine de fois, comporte bien en effet la « syllabe sale », et l'explication de texte que mènent les pédantes les met en contradiction avec leurs principes. Loin de l'intrigue bourgeoise, parfois pesante, c'est alors en maître des mots que Molière règle leur compte à ceux qui prétendent lui en disputer la maîtrise.

C'est ce qui donne tout son sens aux interrogations de Martine lorsqu'elle dénonce le « jargon » des savantes, confondant « grammaire » et « grand-mère », prenant « venir » au sens propre. On est là dans la farce et la vraisemblance est secondaire, mais la signification est lourde.

Une scène comique par excellence : la scène du sonnet

Le comique sur le langage trouve son apogée dans la célèbre scène du sonnet, caricature éblouissante de l'explication de texte.

Un langage au goût douteux : l'incongruité des métaphores filées met d'abord le lecteur en appétit. Les savantes, purs esprits, se nourrissent par l'oreille : elles ont hâte de connaître l'« aimable repas » (Philaminte), les « repas friands » (Bélise) que Trissotin, conscient de leur « grande faim », leur apporte. Le « poète cuisinier » se transforme en jeune mère surprise par la nature au moment d'« accoucher » d'« un enfant tout nouveau-né » – son poème. Le goût discutasble de cette métaphore ne blesse pas Philaminte, au contraire la métaphore s'amplifie. La femme savante restitue en effet à Trissotin sa paternité, et celui-ci donne en échange une sorte de maternité adoptive : « Votre approbation lui peut servir de mère » (v. 724).

Ainsi par ces plaisirs de l'ouïe, par cette symbolique mise au monde, s'inaugure « l'orgie langagière » (Josette Rey-Debove) de la scène seconde. Désormais, les femmes savantes, victimes d'elles-mêmes autant que de Trissotin, vont être, par leur comportement et leurs paroles, le parfait contre-exemple de l'esprit pur et juste qu'elles prétendaient incarner. Les « pressants désirs » de Philaminte vont pouvoir se satisfaire grâce au sonnet, incontestable plat principal de cette scène.

Le sonnet : les propos de Trissotin nous avaient préparés à de nouvelles métaphores critiquables. Son sonnet, poème de Cotin repris ici par Molière, est entièrement fondé sur cette figure de style. La fièvre est personnifiée et devient une « ingrate » dont la princesse doit se méfier. Que cette fièvre soit prise au sens littéral ou qu'elle désigne l'amour, cette métaphore classique est ici traitée de manière à la fois emphatique et plate. Le corps, encore une fois innommable, est devenu un « riche appartement ». Le lexique est pauvre : Trissotin recourt aux synonymes (« magnifiquement », « superbement »). Les rimes le sont également ; le pédant multiplie les adverbes en *–ment*, il utilise « quoi qu'on die », simple cheville, pour rimer avec « vie ».

Le commentaire : mais ce mauvais poète est habile tacticien. Il dit son texte, laissant à son public idéal le soin de le commenter. Les femmes savantes en restent à la paraphrase. Celle-ci est absolue quand elles citent totalement un vers, relative quand elles expriment autrement ce que dit le pédant.

« *Faites-la sortir, quoi qu'on die.*
Que de la fièvre on prenne ici les intérêts ;
N'ayez aucun égard, moquez-vous des caquets. » (v. 788-789)

C'est à peine si Philaminte arrive parfois à transformer un vers :

« *Noyez-la de vos propres mains :*
De vos propres mains, là, noyez-la dans les bains. » (v. 812)

Leur plus grand ridicule vient cependant de leur admiration pour « quoi qu'on die ». En reprenant si souvent l'expression, en lui supposant une « finesse » jamais explicitée, en s'intéressant à une locution creuse et mal sonnante, celles qui voulaient retrancher « les syllabes sales » des mots font preuve d'un extraordinaire aveuglement.

Elles sont finalement dans la position de femmes faisant la cour à Trissotin. Leur réaction est celle d'amantes, non de juges. Leurs citations montrent que le plaisir empêche le commentaire, leur « quoi qu'on die » s'alourdit d'« un million de mots » sous-entendus, leurs hyperboles trahissent une sensualité mal contenue :

« **PHILAMINTE.** On n'en peut plus.
BÉLISE. On pâme.
ARMANDE. On se meurt de plaisir.
PHILAMINTE. De mille doux frissons vous vous sentez saisir. » (v. 810-811).

Le silence réprobateur d'Henriette est ainsi doublement significatif. Il montre l'impossibilité de commenter l'absence de poésie et le refus de participer à ce transfert amoureux, à ce curieux repas littéraire.

Le comique de situation

Le rire est encore provoqué par le contrepoint comique apporté aux situations dramatiques, par le recours aux scènes symétriques contrastées ; ainsi le duel des rivaux montre que

Trissotin a le sens de la repartie et ne craint pas d'attaquer la Cour à travers Clitandre :

« Elle a quelque intérêt d'appuyer l'ignorance,
Et c'est en courtisan qu'il en prend la défense. » (v. 1329-1330)

Pour éviter que Trissotin n'apparaisse trop inquiétant, il faut le rendre grotesque en désamorçant partiellement la tension. Le duel avec Vadius (acte III, sc. 3) le permet. Deux coqs, deux plumitifs, deux faux frères affirment leur amitié et finissent par se déchirer, font l'éloge l'un de l'autre alors qu'ils ne songent qu'à eux-mêmes. Un vers, une réplique à propos du sonnet de Trissotin suffisent au basculement.

« TRISSOTIN. Vous en savez l'auteur ?
VADIUS. Non, mais je sais fort bien
Qu'à ne le point flatter son sonnet ne vaut rien. » (v. 991-992)

Dans *Le Tartuffe*, l'imposteur est d'autant plus dangereux qu'il se maîtrise presque parfaitement. Mais la vanité de Trissotin lui donne un grain de folie, et elle nous fait un instant oublier le péril encouru par Henriette.

Bélise ou le romanesque burlesque

Bélise n'apporte rien à l'intrigue ; elle n'aide ni ne combat Clitandre : sa fonction est autre. Dans l'acte I, le duo Henriette-Clitandre, puis les échanges entre Armande et Clitandre (I, 2 et IV, 2) peuvent inquiéter le spectateur qui n'a guère envie de rire. Mais dans la dernière scène du même acte, et comme en contrepoint, dans son duo imaginaire avec Clitandre, Bélise ôte à l'amour ce qu'Armande pouvait lui apporter d'hypocrite (en méprisant le corps et les sens), puis de dramatique, et ce qu'Henriette pouvait lui apporter de raisonnable et de convenu. Bélise n'a certes ni volonté ni réelle intelligence. Elle serait bien « la digne sœur du bonhomme Chrysale » (Moland) si elle n'était dépourvue de bon sens. Elle introduit heureusement le romanesque, la fantaisie dans un monde qui les avait tellement oubliés. Il ne s'agit plus de farce ; Bélise fournit l'élément burlesque* entendu comme le mélange réussi du rire et de la poésie, comme la clé retrouvée de l'extravagance. Elle y met de la poésie. Parce qu'elle est inutile dans ce monde bourgeois et calculateur, la folle Bélise devient le refuge d'un rire qui refuse les intrigues sérieuses parce qu'elles sont vraisemblables, et qui retrouve la liberté de l'invraisemblance, du coup de théâtre. Bélise seule ne nuit à personne, fait sourire sans en être atteinte, croit finalement aux mots, au romanesque et à l'imaginaire sans lesquels le théâtre n'aurait pas de sens. Chimérique, « visionnaire », elle a quelque chose de Don Quichotte, lecteur passionné de romans, voire d'Emma Bovary. Mais si chez elle le principe de plaisir l'emporte définitivement sur le principe de réalité, elle est l'heureuse créatrice d'un monde merveilleux d'amants innombrables où elle joue le premier rôle. Molière veut peut-être éduquer, il veut surtout faire rire et divertir. Bélise, parente pauvre de la pièce, en reste le bouffon exemplaire.

Ainsi *Les Femmes savantes* illustrent bien la liberté de la grande comédie. Antoine Adam y voyait la « plus mauvaise pièce » de Molière, une œuvre « trop soignée et sans verve » ; elle offre pourtant une variété de registres, du sérieux au burlesque, qui montre Molière non pas hésitant mais à la subtile frontière du rire et des pleurs, le langage dramatique permettant seul de concilier les contraires.

LA STRUCTURE DES *FEMMES SAVANTES*

ACTE	SCÈNE	NOMBRE DE VERS	PERSONNAGES	SUJET DE LA SCÈNE
ACTE I	Sc. 1	120	Armande, Henriette	Armande affirme préférer la philosophie et la science au mariage, au contraire d'Henriette. Les choses se compliquent quand la cadette paraît vouloir épouser Clitandre, ancien amoureux d'Armande.
	Sc. 2	78	Clitandre, Armande, Henriette	Clitandre donne raison à Henriette. Armande, blessée, rappelle que les parents doivent donner leur accord pour un mariage. Henriette et Clitandre se déclarent prêts à le rechercher.
	Sc. 3	74	Clitandre, Henriette	Clitandre pense s'adresser au père d'Henriette. Mais pour celle-ci, le plus sûr est de « gagner [sa] mère ».
	Sc. 4	56	Clitandre, Bélise	Clitandre veut défendre sa cause auprès de Bélise. Mais, persuadée d'être l'heureuse élue, la tante d'Henriette l'interrompt et l'empêche de la détromper.
ACTE II	Sc. 1	4	Ariste	Le frère de Chrysale vient d'assurer Clitandre de son soutien.
	Sc. 2	18	Chrysale, Ariste	Ariste applique immédiatement sa promesse et sonde Chrysale, qui semble bien disposé à l'égard de Clitandre.
	Sc. 3	46	Bélise, Chrysale, Ariste	Ariste s'enhardit, révèle l'amour d'Henriette et de Clitandre, quand intervient Bélise. Elle s'imagine toujours être aimée du jeune homme. Les deux frères ne peuvent l'en dissuader.
	Sc. 4	21	Chrysale, Ariste	Chrysale affirme qu'il serait heureux d'avoir Clitandre pour gendre. Ariste aimerait cependant que Philaminte soit du même avis. Chrysale en fait son affaire.
	Sc. 5	10	Martine, Chrysale	Martine vient d'être chassée par Philaminte. Chrysale n'accepte pas ce renvoi.
	Sc. 6	83	Philaminte, Bélise, Chrysale, Martine	Le motif du renvoi est donné par Philaminte : Martine écorche le français. Celle-ci proteste. Elle exaspère ainsi sa maîtresse, et s'attire les remontrances pédagogiques de Bélise. Chrysale apeuré cède à sa femme.

ACTE	SCÈNE	NOMBRE DE VERS	PERSONNAGES	SUJET DE LA SCÈNE
ACTE II (SUITE)	Sc. 7	110	Philaminte, Chrysale, Bélise	Martine partie, Chrysale se rebiffe : en prétendant s'adresser à la seule Bélise, il développe sa conception d'une femme uniquement occupée du foyer, loin de toute étude.
	Sc. 8	20	Philaminte, Chrysale	Alors que Chrysale commençait à l'entretenir d'Henriette, Philaminte l'interrompt et lui annonce qu'elle a retenu Trissotin comme gendre.
	Sc. 9	70	Ariste, Chrysale	Ariste apprend avec stupéfaction l'évolution de l'affaire et reproche à Chrysale sa lâcheté. Celui-ci promet de réagir.
ACTE III	Sc. 1	14	Philaminte, Armande, Bélise, Trissotin, L'Épine	Les femmes savantes ont hâte d'écouter les derniers poèmes de Trissotin.
	Sc. 2	202	Henriette, Philaminte, Armande, Bélise, Trissotin, L'Épine	Devant un public féminin en extase, sauf Henriette, Trissotin lit un sonnet et une épigramme. Les femmes savantes exposent ensuite le projet de leur académie, leurs ambitions philosophiques et linguistiques.
	Sc. 3	118	L'Épine, Trissotin, Philaminte, Bélise, Armande, Henriette, Vadius	Trissotin introduit son ami Vadius, un pédant. Après une série d'amabilités, le dialogue tourne à l'aigre lorsque Vadius critique le sonnet dont Trissotin est l'auteur.
	Sc. 4	41	Trissotin, Philaminte, Armande, Bélise, Henriette	Philaminte découvre à Henriette son projet matrimonial. Trissotin exprime sa satisfaction, Henriette son refus.
	Sc. 5	13	Henriette Armande	L'aînée prend une revanche ironique sur sa cadette.
	Sc. 6	22	Chrysale, Ariste Clitandre, Henriette, Armande	Chrysale soutient Henriette et Clitandre, et remet Armande à sa place.
ACTE IV	Sc. 1	18	Armande, Philaminte	Armande dresse sa mère contre Henriette et Clitandre.
	Sc. 2	126	Clitandre, Armande, Philaminte	Armande dénigre Clitandre auprès de Philaminte, quand le jeune homme entre en scène. Armande et Clitandre exposent à nouveau leurs conceptions différentes de l'amour. Armande propose à Clitandre de l'épouser ; le jeune homme refuse. Philaminte annonce alors son choix de Trissotin, ce qui provoque de la part de Clitandre un jugement sévère sur le mauvais poète.

ACTE	SCÈNE	NOMBRE DE VERS	PERSONNAGES	SUJET DE LA SCÈNE
ACTE IV (SUITE)	Sc. 3	121	Trissotin, Armande, Philaminte, Clitandre	Trissotin et Clitandre s'affrontent à propos de la Cour et du bon goût.
	Sc. 4	41	Julien, Trissotin, Philaminte, Clitandre, Armande	Une lettre de Vadius dénonce Trissotin comme un homme intéressé et plagiaire. Mais cela ne fait que renforcer Philaminte dans sa décision.
	Sc. 5	34	Chrysale, Ariste, Henriette, Clitandre	Chrysale paraît à nouveau sûr de lui, prêt à soutenir les amants et à affronter sa femme.
ACTE V	Sc. 1	102	Henriette, Trissotin	Henriette essaie de dissuader Trissotin de l'épouser. En vain.
	Sc. 2	38	Chrysale, Clitandre, Martine, Henriette	Chrysale affirme à sa fille que c'est lui désormais qui commande dans la maison : Martine d'ailleurs est réengagée.
	Sc. 3	86	Philaminte, Bélise, Armande, Trissotin, Le Notaire, Chrysale, Clitandre Henriette, Martine	Chaque parti veut imposer son prétendant au notaire. Martine vient aider Chrysale défaillant. Celui-ci est pourtant prêt à un accommodement… au terme duquel Clitandre épouserait Armande.
		92	Ariste, Chrysale, Philaminte Bélise, Henriette, Armande, Trissotin, Le Notaire, Clitandre, Martine	Ariste apporte deux lettres. L'une annonce à Philaminte qu'elle a perdu son procès, l'autre que Chrysale est ruiné. Trissotin renonce aussitôt à Henriette. Clitandre au contraire lui offre sa fortune. Mais tout cela n'était qu'un stratagème d'Ariste. Tout finit donc bien.

LES THÈMES

JEUX D'ÉCRITURE

La question du mensonge et de la vérité de l'écriture, celle des jeux sur les formes se posent à travers deux sortes de textes : les œuvres de Trissotin, le billet de Vadius et les lettres d'Ariste.

Le sonnet et le madrigal de Trissotin-Cotin (acte III, sc. 2), exemples d'intertextualité, de citations d'un autre auteur, permettent à Molière d'inclure dans sa pièce **une critique littéraire et sociale** de la préciosité. Le choix n'est pas innocent : ce ne sont pas les meilleurs textes de l'abbé Cotin que raille Molière, mais ils ont été applaudis chez des personnes d'influence. Les attaquer, c'est donc attaquer non seulement un homme mais une mode, un goût, un milieu ; c'est montrer que la littérature, poésie comme théâtre, est indissociable de son public (Trissotin ne commente pas son œuvre, à la différence d'Oronte dans *Le Misanthrope*). La mise en évidence de la pauvreté de l'allégorie et des métaphores, de la facilité ambiguë du fameux « quoi qu'on die », fonde le rejet d'une poésie faite de procédés médiocres. À cette indigence du style correspond celle de la sensibilité puisque Trissotin avoue à Henriette (v. 1525) qu'être « amoureux en poète » ne doit pas être pris au sérieux.

Le billet de Vadius (acte IV, sc. 4) et les deux lettres d'Ariste (acte V, sc. 4) introduisent la prose dans le dialogue en vers ; cela marque pour les personnages le caractère exceptionnel, écrit, des messages, et pose en d'autres termes le problème de la vérité. Le mot de Vadius dénonçant l'attitude intéressée de Trissotin renforce Philaminte dans son erreur alors même qu'il dit probablement vrai. Les lettres transmises par Ariste sont en revanche mensongères, mais Ariste ne saurait être soupçonné de duplicité. Cela montre bien que le moment où a lieu leur lecture ainsi que le statut de l'auteur comptent autant que le contenu des textes. Et ce n'est pas à Vadius de dévoiler la fausseté de Trissotin, mais aux amoureux ou à leurs partisans. Ces billets ont donc **un rôle dramaturgique** : l'échec de Vadius renforce le succès d'Ariste, le coup de théâtre final surtout a une origine écrite, non orale (on croit davantage un texte que des paroles). Plus largement, ils s'accordent avec l'écriture de la pièce tout entière, du théâtre et de la littérature même dont une fonction essentielle est bien **d'atteindre la vérité à travers le mensonge d'une fiction**.

Groupement de textes sur l'intertextualité et la réécriture : Corneille, *L'Illusion comique*, les tirades baroques de Matamore (acte II, sc. 2 par exemple) et celles du *Cid* (acte II, sc. 2 par exemple : similitudes de vocabulaire) ; Baudelaire, des *Fleurs du mal* aux *Petits poèmes en prose* (« L'Invitation au voyage », « L'Horloge » par exemple) ; Proust, le pain grillé de la préface du *Contre Sainte-Beuve* devient la madeleine de *Combray (Du Côté de chez Swann)* ; Queneau, ses *Exercices de style (cf. Pantagruel*, ch 4, *L'Étudiant limousin)* et *Les Fleurs bleues*, roman de citations et de registres mêlés.

LANGUES ANCIENNES ET PÉDANTISME

Molière a de l'estime pour les Grecs et les Latins : il a envisagé traduire le *De natura rerum* de Lucrèce ; beaucoup de ses pièces sont nées de modèles anciens (l'*Aulularia* de Plaute inspire *L'Avare*, *Phormio* de Térence *Les Fourberies de Scapin*). Mais il s'emporte contre certaines utilisations de l'Antiquité. La préface des *Précieuses ridicules* le disait déjà : « L'on n'ignore pas qu'une louange en grec est d'une merveilleuse efficace à la tête d'un livre. » Molière dénonce ici le mauvais usage que les pédants font de ces langues (acte II, sc. 9, v. 687-690 ; acte III, sc. 3 ; acte IV, sc. 3, 4). Le latin et le grec permettent à Vadius et à Trissotin de plagier en toute tranquillité et de cacher leur absence de talent sous le masque de la science. Le latin est enfin plus directement encore **une source de comique** (acte III, sc. 3 ; acte IV, sc. 3 ; acte V, sc. 3 et p. 171).

Groupement de textes : Rabelais, *Gargantua*, premier livre, ch. 14 : « Comment Gargantua fut instruit en lettres latines par un sophiste », ch. 19 et *Pantagruel*, ch. 6 : « Comment Pantagruel rencontra un Limousin qui contrefaisait le langage français » ; Montaigne, *Les Essais*, livre I, ch. XXV « Du pédantisme » ; Flaubert, *Madame Bovary*, troisième partie, ch. II, Homais « tant il était exaspéré » par Justin « citait du latin » ; Proust, *À l'ombre des jeunes filles en fleurs*, première partie, la « culture » de M. de Norpois (G.-F., p. 120-122).

DE L'USAGE DE LA PHILOSOPHIE

Que Molière ne soit pas philosophe, qu'il n'ait pas écrit de texte philosophique ne signifie pas qu'il se désintéresse de la philosophie : « Il est penseur, "philosophe" au sens du XVIIe siècle, c'est-à-dire celui qui réfléchit sur l'homme et la société. » (J. Molino) Il l'est comme tout auteur comique, parce que le rire par essence établit une distance, fait douter du bien-fondé des actes et des paroles, instaure une « vision sceptique » de la vie. Il est école de modestie. S'opposent ainsi dans la pièce la philosophie des femmes savantes et celle de Clitandre (celle de Molière ?). Les premières sont, on le sait, éclectiques (acte III, sc. 2), elles prennent ce qui leur convient dans les diverses philosophies ; mais, pour des raisons tactiques, elles séparent de façon caricaturale, « la substance qui pense » et « la substance étendue » (v. 1685-1686), l'âme et le corps. Cette erreur fondamentale les coupe du réel, les faisant vivre dans l'imaginaire (Bélise) ou dans le mensonge (Armande). En revanche, Clitandre proclame **l'unité du corps et de l'âme** et la dimension sensuelle de l'amour (acte IV, sc. 2). Plus profondément, transparaît ici une revanche des « nœuds de la matière », du corps qui affirme son pouvoir sur l'esprit. Loin de tout dualisme, de tout dogmatisme scientifique comme le cartésianisme pouvait l'incarner, se devine une inspiration épicurienne qui rappelle les lois de la nature. En face d'Armande comme de Trissotin, Clitandre est l'homme du juste milieu, du bon sens, très raisonnable, peut-être trop, le disciple de La Mothe le Vayer, philosophe fort estimé de Molière.

Groupement de textes : le mauvais philosophe : Voltaire, *Candide*, ch. 1 : « Pangloss enseignait... » ; Flaubert, *Bouvard et*

Pécuchet, ch. VIII sur l'âme et la matière ; Montaigne, *Les Essais*, livre I, ch. XX, « Que philosopher, c'est apprendre à mourir » ; Diderot, *Encyclopédie*, article « Philosophe » ; Voltaire, *Dictionnaire philosophique*, article « Philosophe ».

L'AMOUR ET SON LANGAGE

Essentiel dans la tragédie, le langage amoureux semble secondaire dans la comédie classique où l'amour sert de contrepoint et de révélateur indirect à une satire sociale et morale. Mais il est au centre des *Femmes savantes* puisqu'il est d'abord le lieu d'une opposition entre la conception précieuse de l'amour, définie par Armande (acte I, sc. 1 et acte IV, sc. 2) et Bélise (acte I, sc. 4 ; acte II, sc. 3 ; acte III, sc. 4), et celle d'Henriette et de Clitandre (acte I, sc. 2, 4 ; acte V, sc. 4). Dans le premier cas, il est **objet de satire**. Pour les précieuses, il permet d'assurer le pouvoir des mots sur le réel, de l'esprit sur les sens, des femmes sur les hommes. Il est à la fois lien et distance avec l'amant, il multiplie les images et les périphrases – autant de protections contre la réalité, puisque le langage commun, « grossier », ne peut qu'être lié au physique. Ce langage épuré est tellement allusif qu'il devient obscur – ou transparent – et laisse place au regard, aux « fenêtres de l'amour ». Mais cela ne signifie pas que les véritables amants excluent aussi les métaphores. Henriette parle – mais sans grandiloquence insistante – de « feux » et de « flamme ». Clitandre en revanche a un style beaucoup plus fleuri (v. 129-154). Cela donne à ce langage une fonction dramatique. C'est parce que Clitandre lui-même a recours à des métaphores que le quiproquo peut s'engager, c'est parce que Bélise croit à ce qu'elle dit, s'y enferme, que son rôle a de la cohérence. Il y a encore dans la dernière scène des images convenues :

« **HENRIETTE.** L'amour dans son transport parle toujours ainsi.
[...]
Rien n'use tant l'ardeur de ce nœud qui nous lie
Que les fâcheux besoins des choses de la vie » (v. 1749-1752),

mais le langage amoureux exprime enfin la sincérité et le don de soi.

Groupement de textes : amour, haine et manipulation. *Lettres portugaises* ; Montesquieu, *Les Lettres persanes*, lettre 161 de Roxane à Usbeck ; Diderot, *Lettre à Sophie Volland* du 1er novembre 1759 ; Rousseau, *Julie ou La Nouvelle Héloïse*, lettre XIV de Saint-Preux à Julie ; Laclos, *Les Liaisons dangereuses*, lettre XVII du chevalier Danceny à Cécile.

LE MARIAGE EN QUESTION(S)

Élément dramaturgique fondamental de la comédie de Molière, le mariage met le plus souvent en évidence l'opposition des générations, l'autorité parentale contrariant les souhaits des jeunes. Si on retrouve cet aspect dans l'attitude de Philaminte, il faut d'abord remarquer que la pièce commence par une discussion entre les deux sœurs sur l'intérêt même du mariage – dans *Les Précieuses ridicules*, Cathos et Magdelon ne s'interrogeaient que sur les préparatifs du mariage qui devait venir après « un long roman ». Ce sont donc aussi **plusieurs conceptions** du mariage qui s'affrontent. Pour Henriette (acte I, sc. 1) et Clitandre, le mariage est indissociable de l'amour, pour Trissotin de l'intérêt (acte IV, sc. 1 ; acte V, sc. 4), pour Chrysale de la « vertu » (acte II, sc. 4), pour les précieuses d'un esclavage, d'une tyrannie du corps (acte I, sc. 1 ; acte IV, sc. 2). Le clivage est aussi dans le rôle que doit tenir la femme : implicitement (Henriette : v. 20-25) ou explicitement soumise (Martine : acte V, sc. 3 ; Chrysale : acte II, sc. 7), maîtresse de maison (Chrysale) ou maîtresse d'elle-même et des autres (Philaminte).

Groupement de textes : La Bruyère, *Les Caractères*, « Des femmes », n° 76 ; chez Marivaux, c'est parce qu'on estime haut le mariage qu'on s'y engage avec prudence, qu'est importante la période préalable, où l'on s'avance masqué pour découvrir l'autre (*Le Jeu de l'amour et du hasard*, I, 1 par exemple ; *La Fausse Suivante* ; I, 2 par exemple) ; Beaumarchais (*Le Mariage de Figaro* ; I, 10 ; II, 19 par exemple) ; Stendhal, *Le Rouge et le Noir*, ch. 3 « Madame de Rênal, fort timide [...] de Verrières » ; chez Emma aussi (Flaubert, *Madame Bovary*, première partie, ch. VII : « Elle songeait quelquefois que c'étaient là pourtant les plus beaux jours de sa vie [...] »).

SALON ET CLAN

Le salon savant a ainsi une fonction dramatique. Au cœur de la pièce, il occupe les principales scènes de l'acte III. Au cœur de ce salon se trouve Trissotin. Le salon ajoute ainsi comme un point central à la ligne continue de l'action. Il incarne aussi une réalité sociale. « Nul n'aura de l'esprit, hors nous et nos amis », dit Armande (v. 924). Pour survivre littérairement, les médiocres ne disposent que de petits cénacles prétentieux et incompétents ; le public de Trissotin n'est pas celui de Molière ; ce n'est pas la Cour. S'explique ainsi la force des liens qui unissent les habitués de ces salons. Vadius est rejeté parce qu'il a trahi la règle de la solidarité en critiquant le sonnet de Trissotin, ce qui revient à désavouer le jugement des pédantes.

Groupement de textes : société et mondanités. Montesquieu, *Lettres persanes*, lettre 36 sur les cafés ou 48 sur les invités d'un « homme de considération » ; Balzac, *Le Père Goriot*, l' entrée de Rastignac chez Mme de Restaud ; Stendhal, *Le Rouge et le Noir*, seconde partie, ch. IV, le salon de Mme de La Mole ; Proust, le salon de Mme Verdurin (*Un amour de Swann*, *cf.* « D'autres textes »), puis les déjeuners de Mme de Guermantes (*Le Côté de Guermantes*, Gallimard, « Bibliothèque de la Pléiade », p. 206-208).

MAÎTRES ET SERVITEURS : MAÎTRES ET ÉLÈVES ?

L'Épine, laquais de la maison de Philaminte (acte III, sc. 2), Julien, valet de Vadius (acte IV, sc. 4), et principalement Martine (acte II, sc. 5 et 6 ; acte V, sc. 2, 3 et 4) ont **une fonction sociale** ; ils témoignent de l'aisance de cette société, et la précarité de leur situation apparaît nettement. Ils fondent aussi **une relation pédagogique**. Les femmes savantes et les pédants veulent les former. Julien est une réussite : il est le miroir caricatural de Vadius et sa prétention égale sa balourdise : « Je noterai cela, Madame, dans mon livre » (v. 1394).

L'Épine et Martine sont en revanche rebelles. Le premier est un « petit garçon » réduit à un rôle de trois vers et à un jeu de scène. Sa réplique prouve cependant son bon sens. Seule Martine a une certaine consistance ; non contente de se défendre, elle attaque les remarques linguistiques des savantes et en s'oppose à leur conception du mariage et de la femme. Martine est renvoyée car elle a trahi le camp des femmes modernes. Mais cette relation pédagogique est évidemment **une source de comique** : Molière multiplie les effets de rupture, qu'il s'agisse de jeux de scène (la chute de l'Épine) ou de niveaux de langue ; le bon sens populaire met en évidence les divagations de bourgeoises saisies par la science et par la poésie.

Groupement de textes : de la complicité à la rivalité et à l'hostilité : Marivaux (*Le Jeu de l'amour et du hasard*, II, 8 ; *L'Île des esclaves*, sc. 2) ; Beaumarchais, *Le Mariage de Figaro* (I, 2 ; I, 10) ; Diderot, *Jacques le Fataliste et son maître* ; Zola, *Pot-Bouille*, etc.

FIGURES DU DÉLIRE

Les personnages principaux des pièces de Molière s'enferment dans une obsession qui étouffe leur raison et les isole. Ils font partie de ces visionnaires « véhéments dans leurs passions, entêtés dans leurs opinions, toujours pleins et très satisfaits d'eux-mêmes » (Malebranche, *De la recherche de la vérité*). Le rire naît ainsi d'une logique aberrante, de l'excès dérangeant par rapport au monde terne du juste milieu. Philaminte, Armande, Bélise sont – à des degrés différents – de la famille de M. Jourdain, d'Harpagon, d'Alceste, de Tartuffe. Elles se laissent envahir par les livres qui déforment leur jugement : au lieu d'expliquer le monde, ils les en protègent, ou plutôt le leur travestissent, le leur interdisent. Leur entêtement est pour la pièce un gage de continuité et de progression. En multipliant les obstacles, il est un moteur de l'intrigue qui par contraste met en évidence la capacité d'adaptation et d'évolution des personnages raisonnables. Cette folie nie le temps – Bélise se croit toujours aimée, Armande n'accepte pas que Clitandre ait changé, Philaminte n'imagine pas son autorité contestée – ; les sentiments – seuls le savoir et celles qui l'incarnent sont aimables – ; le mal – seule l'ignorance en est un. Bref, dans leur cécité savante, en ne comprenant pas la condition humaine, en ridiculisant la condition féminine, elles poussent jusqu'à l'absurde une tentation plus large : remplacer l'indésirable réalité par un rêve désiré.

Groupement de textes : création et folie : Matamore de Corneille (*L'Illusion comique*, III, sc. 4, sc. 9) ; les personnages balzaciens, souvent (l'agonie du père Goriot, Frenhofer dévoilant sa toile dans *Le Chef-d'œuvre inconnu*) ; aussi Claude Lantier de Zola (*L'Œuvre*, ch. XII : « Ah ! quelle pitié [...] C'était à la *Femme nue* qu'il travaillait »). Il y a évidemment Don Quichotte, les personnages de Dostoïevski.

D'AUTRES TEXTES

La satire : entre vérité et mauvaise foi

DESMARETS DE SAINT-SORLIN, *LES VISIONNAIRES*, 1637

Une parente de Bélise

Entre 1659 et 1666, la troupe de Molière représenta vingt et une fois Les Visionnaires *(1637) de Jean Desmarets de Saint-Sorlin. On y trouve une Hespérie qui n'est pas sans faire penser à Bélise.*

« En vain vous me direz que je suis inhumaine,
Que je dois par pitié soulager ses amours ;
Cent fois le jour j'entends de semblables discours ;
Je suis de mille amants sans cesse importunée,
Et crois qu'à ce tourment le Ciel m'a destinée.
L'on me vient rapporter : Lysis s'en va mourir,
D'un regard pour le moins venez le secourir ;
Eurylas s'est plongé dans la mélancolie ;
L'amour de Lycidas s'est tournée en folie ;
Périandre a dessein de vous faire enlever ;
Si Corylas n'en meurt, il sera bien malade ;
Un roi pour vous avoir envoie une ambassade ;
Thircis vous idolâtre et vous dresse un autel ;
C'est pour vous ce matin que s'est fait un duel.
Aussi de mon portrait chacun veut la copie.
C'est pour moi qu'est venu le roi d'Éthiopie.
Hier j'en blessai trois d'un regard innocent ;
D'un autre plus cruel, j'en fis mourir un cent.
Je sens, quand on me parle, une haleine de flamme.
Ceux qui n'osent parler m'adorent en leur âme.

Mille viennent par jour se soumettre à ma loi.
Je sens toujours des cœurs voler autour de moi.
[...]
Voyez, ma chère sœur, suis-je pas bien à plaindre ? »

Jean DESMARETS de SAINT-SORLIN, *Les Visionnaires*, II, 2.

QUESTIONS

1. Comment cette tirade éclaire-t-elle le titre de la pièce ?
2. Comment les illusions d'Hespérie sont-elles nourries ?
3. Comparez Hespérie et Bélise. Qu'a apporté Molière ?

MADEMOISELLE DE SCUDÉRY, *HISTOIRE DE SAPHO*, 1656

La bonne et la mauvaise femme savante

Mademoiselle de Scudéry (1607-1701), romancière précieuse par excellence, aristocrate, prend bien soin de distinguer la précieuse délicatement cultivée de la vulgaire femme savante.

« Damophile s'étant mis dans la tête d'imiter Sapho, n'entreprit pas de l'imiter en détail, mais d'être savante comme elle ; et croyant même avoir trouvé un grand secret pour acquérir encore plus de réputation qu'elle n'en avait, elle fit tout ce que l'autre ne faisait pas. Premièrement, elle avait toujours cinq ou six maîtres, dont le moins savant lui enseignait, je pense, l'astrologie ; elle écrivait continuellement à des hommes qui faisaient profession de science ; elle ne pouvait se résoudre à parler à des gens qui ne sussent rien ; on voyait toujours sur la table quinze ou vingt livres, dont elle tenait toujours quelqu'un quand on arrivait dans sa chambre, et qu'elle y était seule ; et je suis assuré qu'on pouvait dire sans mensonge, qu'on voyait plus de livres dans son cabinet, qu'elle n'en avait lu ; et qu'on en voyait bien moins chez Sapho, qu'elle n'en lisait. De plus, Damophile ne disait que de grands mots, qu'elle prononçait d'un ton grave et impérieux, quoi qu'elle ne dît que de petites choses ; et Sapho au contraire ne se servait que de paroles ordinaires, pour en dire d'admirables. Au reste, Damophile ne croyant pas que le savoir pût compatir avec les affaires de sa famille, ne se mêlait d'aucuns soins domestiques ; mais, pour Sapho, elle se donnait la peine de s'informer de tout ce qui était nécessaire pour savoir commander à propos, jusques aux moindres choses. De plus, Damophile non seulement parle en style de livre, mais elle parle toujours de livres, et ne fait non plus de difficulté de citer les auteurs les plus inconnus, en une conversation ordinaire, que si elle enseignait publiquement dans quelque académie célèbre. [...] Ce qui rend encore Damophile fort ennuyeuse, est qu'elle cherche même avec un soin étrange, à faire connaître tout ce qu'elle sait, ou tout ce qu'elle croit savoir, dès la première fois qu'on la voit, et il y a tant de choses fâcheuses, incommodes et désagréables en Damophile, qu'on peut assurer que comme il n'y a rien de plus aimable ni de plus charmant qu'une femme qui s'est donné la peine d'orner son esprit de mille agréables connaissances, quand elle en sait bien user, il n'y a rien de si ridicule ni de si ennuyeux qu'une femme sottement savante. »

Mademoiselle de SCUDÉRY, *Histoire de Sapho*,
dixième et dernière partie, livre second,
Le Grand Cyrus.

QUESTIONS

1. Sur quels points portent les critiques de Mlle de Scudéry ?

2. Dans quelle mesure Mlle de Scudéry rejoint-elle Molière ? Dans quelle mesure s'en différencie-t-elle ?

LA FONTAINE, *FABLES*, 1678

Une autre précieuse : une fille un peu trop fière

La fable IV du livre septième des Fables *de La Fontaine est double : elle comprend « Le Héron » et « La Fille ». Leur thème est commun : les dédaigneux sont punis d'avoir été trop longtemps difficiles.*

La Fille

« Certaine fille un peu trop fière
Prétendait trouver un mari
Jeune, bien fait et beau, d'agréable manière,
Point froid et point jaloux ; notez ces deux points-ci.
Cette fille voulait aussi
Qu'il eût du bien, de la naissance,
De l'esprit, enfin tout. Mais qui peut tout avoir ?
Le destin se montra soigneux de la pourvoir :
Il vint des partis d'importance.
La belle les trouva trop chétifs de moitié.
Quoi moi ? quoi ces gens-là ? l'on radote, je pense.
À moi les proposer ! hélas ils font pitié.
Voyez un peu la belle espèce !
L'un n'avait en l'esprit nulle délicatesse ;
L'autre avait le nez fait de cette façon-là ;
C'était ceci, c'était cela,
C'était tout ; car les précieuses
Font dessus tout les dédaigneuses.
Après les bons partis, les médiocres gens[1]
Vinrent se mettre sur les rangs.
Elle de se moquer. Ah vraiment je suis bonne
De leur ouvrir la porte : ils pensent que je suis
Fort en peine de ma personne.
Grâce à Dieu, je passe les nuits
Sans chagrin[2], quoique en solitude.
La belle se sut gré de tous ces sentiments.
L'âge la fit déchoir : adieu tous les amants.
Un an se passe et deux avec inquiétude.
Le chagrin vient ensuite : elle sent chaque jour
Déloger quelques Ris, quelques jeux, puis l'amour ;
Puis ses traits choquer et déplaire ;
Puis cent sortes de fards. Ses soins ne purent faire
Qu'elle échappât au temps, cet insigne larron :

1. **Les médiocres gens :** les gens ordinaires.
2. **Sans chagrin :** sans mauvaise humeur.

Les ruines d'une maison
Se peuvent réparer ; que n'est cet avantage
Pour les ruines du visage !
Sa préciosité changea lors de langage.
Son miroir lui disait : Prenez vite un mari.
Je ne sais quel désir le lui disait aussi ;
Le désir peut loger chez une précieuse.
Celle-ci fit un choix qu'on n'aurait jamais cru,
Se trouvant à la fin tout aise et tout heureuse
De rencontrer un malotru[1]. »

Jean de LA FONTAINE, *Les Fables*, livre septième.

QUESTIONS

1. Quelles sont les principales étapes de la chute de l'héroïne ? Quand prend-elle conscience de son erreur ?

2. Cette « fille un peu trop fière » et Armande ont-elles la même conception de l'amour, du mariage (voir acte I, sc. 1 ; acte IV, sc. 2) ?

3. Quelles différences le théâtre et la fable induisent-ils dans l'illustration du même thème (traitement du temps, nombre de personnages, dramaturgie et art du récit) ?

LA BRUYÈRE, *LES CARACTÈRES*, 1688

Une autre approche : à qui la faute ?

Au XVIIe siècle, les femmes savantes n'ont pas excité la verve du seul Molière.

« Pourquoi s'en prendre aux hommes de ce que les femmes ne sont pas savantes ? Par quelles lois, par quels édits, par quels rescrits leur a-t-on défendu d'ouvrir les yeux et de lire, de retenir ce qu'elles ont lu, et d'en rendre compte ou dans leur conversation ou par leurs ouvrages ? Ne se sont-elles pas au contraire établies elles-mêmes dans cet usage de ne rien savoir, ou par la faiblesse de leur complexion, ou par la paresse de leur esprit ou

1. **Un malotru :** un homme maussade et déplaisant.

par le soin de leur beauté, ou par une certaine légèreté qui les empêche de suivre une longue étude, ou par le talent et le génie qu'elles ont seulement pour les ouvrages de la main, ou par les distractions que donnent les détails d'un domestique[1], ou par un éloignement naturel des choses pénibles et sérieuses, ou par une curiosité toute différente de celle qui contente l'esprit, ou par un tout autre goût que celui d'exercer leur mémoire ? Mais à quelque cause que les hommes puissent devoir cette ignorance des femmes, ils sont heureux que les femmes, qui les dominent d'ailleurs par tant d'endroits, aient sur eux cet avantage de moins.

On regarde une femme savante comme on fait une belle arme : elle est ciselée artistement, d'une polissure admirable et d'un travail fort recherché ; c'est une pièce de cabinet[2], que l'on montre aux curieux, qui n'est pas d'usage, qui ne sert ni à la guerre ni à la chasse, non plus qu'un cheval de manège, quoique le mieux instruit du monde.

Si la science et la sagesse se trouvent unies en un même sujet, je ne m'informe plus du sexe, j'admire ; et si vous me dites qu'une femme sage ne songe guère à être savante, ou qu'une femme savante n'est guère sage, vous avez déjà oublié ce que vous venez de lire, que les femmes ne sont détournées des sciences que par de certains défauts : concluez donc vous-même que moins elles auraient de ces défauts, plus elles seraient sages, et qu'ainsi une femme sage n'en serait que plus propre à devenir savante, ou qu'une femme savante, n'étant telle que parce qu'elle aurait pu vaincre beaucoup de défauts, n'en est que plus sage. »

Jean de La Bruyère, « Des femmes », *Les Caractères.*

Questions

1. Si les femmes ne sont pas savantes, à qui la faute et quelles en sont les raisons ?

2. À quoi La Bruyère compare-t-il la femme savante ? Cette comparaison vaut-elle pour les trois personnages de Molière ?

---

1. **Détails d'un domestique :** les détails du ménage.
2. **Cabinet :** cabinet de curiosités, ancêtre du musée.

3. Quelle qualité est nécessaire à l'acquisition de la science ? Une femme selon La Bruyère la possède-t-elle ? Vous vous poserez la même question pour Bélise, Armande et Philaminte (sans oublier la scène dernière).

4. En quoi ce texte peut-il être une réponse à Philaminte, Armande, Bélise (voir v. 851-862) ?

ROSTAND, *CYRANO DE BERGERAC*, 1897

Un autre ton : les bégaiements de l'amour

Roxane est une précieuse à qui l'on doit faire la cour en beau langage. Son amant Christian est beau mais manque d'esprit. Son cousin Cyrano est laid mais poète. Il aide le jeune homme en parlant à sa place. L'alliance est efficace. Bientôt Christian se croit assez sûr de lui pour « parler seul ». Mal lui en prend.

SCÈNE 5. CHRISTIAN, ROXANE, QUELQUES PRÉCIEUX ET PRÉCIEUSES, et LA DUÈGNE, *un instant.*

« **ROXANE**, *sortant de la maison de Clomire avec une compagne qu'elle quitte : révérences et saluts.*

Barthénoïde ! – Alcandre ! –
Grémione !…

LA DUÈGNE, *désespérée.*
On a manqué le discours sur le Tendre ![1]

Elle entre chez Roxane.

ROXANE, *saluant encore.*
Urimédonte… Adieu !…

Tous saluent Roxane, se resaluent entre eux, se séparent et s'éloignent par différentes rues. Roxane voit Christian.

C'est vous !

Elle va à lui.

Le soir descend.
Attendez. Ils sont loin. L'air est doux. Nul passant.

1. **Le Tendre :** carte allégorique de Mademoiselle de Scudéry où étaient représentées toutes les nuances de l'amour.

Asseyons-nous. Parlez. J'écoute.

CHRISTIAN, *s'assied près d'elle, sur le banc. Un silence.*

Je vous aime.

ROXANE, *fermant les yeux.*

Oui, parlez-moi d'amour.

CHRISTIAN

Je t'aime.

ROXANE

C'est le thème.

Brodez, brodez.

CHRISTIAN

Je vous...

ROXANE

Brodez !

CHRISTIAN

Je t'aime tant...

ROXANE

Sans doute. Et puis ?

CHRISTIAN

Et puis... je serais si content

Si vous m'aimiez ! – Dis-moi, Roxane, que tu m'aimes !

ROXANE, *avec une moue.*

Vous m'offrez du brouet[1] quand j'espérais des crèmes !

Dites un peu comment vous m'aimez ?

CHRISTIAN

Mais... beaucoup.

ROXANE

Oh !... Délabyrinthez[2] vos sentiments !

CHRISTIAN, *qui s'est rapproché et dévore des yeux la nuque blonde.*

---

1. **Brouet :** soupe grossière.
2. **Délabyrinthez :** néologisme de Rostand.

Ton cou !
Je voudrais l'embrasser !...

ROXANE

Christian.

CHRISTIAN

Je t'aime !

ROXANE, *voulant se lever.*

Encore !

CHRISTIAN, *vivement, la retenant.*
Non, je ne t'aime pas.

ROXANE, *se rasseyant.*

C'est heureux !

CHRISTIAN

Je t'adore.

ROXANE, *se levant et s'éloignant.*
Oh !

CHRISTIAN

Oui... je deviens sot !

ROXANE, *sèchement.*

Et cela me déplaît !
Comme il me déplairait que vous devinssiez laid.

CHRISTIAN
Mais...

ROXANE

Allez rassembler votre éloquence en fuite !

CHRISTIAN
Je...

ROXANE

Vous m'aimez, je sais. Adieu.

Elle va vers la maison.

CHRISTIAN

Pas tout de suite !
Je vous dirai...

ROXANE, *poussant la porte pour entrer.*

Que vous m'adorez… oui, je sais !
Non ! non ! Allez-vous-en !

CHRISTIAN

Mais je…

Elle lui ferme la porte au nez.

CYRANO, *qui depuis un moment est rentré sans être vu.*

C'est un succès. »

Edmond ROSTAND, *Cyrano de Bergerac*, acte III, scène 5.

QUESTIONS

1. Que demande Roxane ? Que reproche-t-elle à Christian ?

2. A-t-elle envers son amant les mêmes exigences qu'Armande (*cf.* acte I, sc. 1, v. 101-104 en particulier ; acte IV, sc. 2) ?

3. Analysez la différence de ton entre Rostand et Molière (traitement de l'alexandrin et longueur des répliques, didascalies, choix des pronoms).

PROUST, *UN AMOUR DE SWANN*, 1913

Un autre salon : la « loi du milieu »

Le roman Un amour de Swann *s'ouvre sur un salon bourgeois et parisien au début du siècle.*

« Pour faire partie du " petit noyau ", du " petit groupe ", du " petit clan " des Verdurin, une condition était suffisante mais elle était nécessaire : il fallait adhérer tacitement à un credo dont un des articles était que le jeune pianiste, protégé par Mme Verdurin cette année-là et dont elle disait : " Ça ne devrait pas être permis de savoir jouer Wagner comme ça ! ", " enfonçait " à la fois Planté[1] et Rubinstein[2] et que le docteur Cottard avait plus de diagnostic que Potain[3]. Toute " nouvelle recrue " à qui les Verdurin ne pouvaient pas persuader que les soirées des gens qui n'allaient pas chez eux étaient ennuyeuses comme la

1. **F. Planté** (1834-1934) : pianiste français.
2. **A. Rubinstein** (1829-1894) : pianiste et compositeur russe.
3. **P. Potain** (1825-1901) : médecin français.

pluie, se voyait immédiatement exclue. Les femmes étant à cet égard plus rebelles que les hommes à déposer toute curiosité mondaine et l'envie de se renseigner par soi-même sur l'agrément des autres salons, et les Verdurin sentant d'autre part que cet esprit d'examen et ce démon de frivolité pouvait par contagion devenir fatal à l'orthodoxie de la petite église, ils avaient été amenés à rejeter successivement tous les " fidèles " du sexe féminin. »

Marcel PROUST, *Un amour de Swann.*

QUESTIONS

Comparez le « petit clan » des Verdurin et celui des femmes savantes.

1. Quelles conditions faut-il remplir pour être accepté dans ces salons ?

2. Quelles métaphores Proust utilise-t-il pour définir le « petit groupe » des Verdurin ? Conviendraient-elles à celui des femmes savantes ?

3. Finalement, constatez-vous entre le monde mis en scène par Molière et celui décrit par Proust – mondes éloignés de plus de deux siècles – de simples nuances ou de profonds changements ?

QUESTIONS D'ENSEMBLE

1. Quels sont les arguments contre le savoir chez une femme ?

2. En quoi consiste l'amour pour les précieuses ?

3. Aujourd'hui, le partage du savoir entre les hommes et les femmes conduit-il au partage du pouvoir ?

Parole à la défense

COTIN, *ŒUVRES GALANTES DE M.COTIN TANT EN VERS QU'EN PROSE*, 1665

Cotin ou Trissotin ? Les compliments d'un abbé mondain au XVIIe siècle

Et si ce pauvre abbé Cotin n'avait pas tous les torts, s'il savait apprécier les qualités des femmes ? Voici en tout cas comment il s'adresse au lecteur en préface à ses Lettres de Dames. *Il est vrai que ces lettres, dont il est le destinataire, sont fort élogieuses pour lui-même. Elles ne sauraient donc témoigner d'un mauvais jugement !*

« Je déclare donc ici que je cède aux aimables personnes du beau sexe tous les avantages du génie, et ceux-mêmes de l'art qu'elles ont appris sans y penser dans la fréquentation du Grand monde. L'heureux commerce que j'ai eu avec elles dès mes jeunes ans, dure encore aujourd'hui avec joie [...]. Les femmes de qualité ont poli mes mœurs, et cultivé mon esprit ; et comme je ne leur ai jamais eu d'obligations pour ma fortune, je n'ai jamais souffert auprès d'elles de servitude ni de contraintes ; et n'ai point eu d'attachement que très volontaire. Avec la douceur de la vie, j'ai conservé parmi les plus dangereuses la raison et la liberté. »

Œuvres galantes de M. Cotin tant en vers qu'en prose.

QUESTIONS

1. Quelles qualités l'auteur reconnaît-il aux femmes ?

2. Retrouvez-vous les compliments qu'adresse Trissotin aux femmes savantes (acte III, sc. 2) ?

MONTESQUIEU, *LETTRES PERSANES*, 1721

Le Persan et le philosophe des Lumières

Au temps de la Régence, Montesquieu imagine que des Persans, visitant essentiellement la France, rendent compte à des amis restés en Perse de leurs impressions, en particulier sur les Parisiens. De façon détournée, l'auteur fait ainsi un portrait aigu de ses compatriotes. Que vienne le sujet des femmes ne saurait étonner.

Lettre 38. Rica à Ibben à Smyrne.

« C'est une autre question de savoir si la Loi naturelle soumet les femmes aux hommes. " Non, me disait l'autre jour un philosophe très galant : la Nature n'a jamais dicté une telle loi. L'empire que nous avons sur elles est une véritable tyrannie ; elles ne nous l'ont laissé prendre que parce qu'elles ont plus de douceur que nous, et par conséquent plus d'humanité et de raison. Ces avantages qui devaient sans doute leur donner la supériorité, si nous avions été raisonnables, la leur ont fait perdre, parce que nous ne le sommes point. Or, s'il est vrai que nous n'ayons sur les femmes qu'un pouvoir tyrannique, il ne l'est pas moins qu'elles ont sur nous un empire naturel : celui de la beauté, à qui rien ne résiste. Le nôtre n'est pas de tous les pays ; mais celui de la beauté est universel. Pourquoi aurions-nous donc un privilège ? Est-ce parce que nous sommes les plus forts ? Mais c'est une véritable injustice. Nous employons toutes sortes de moyens pour leur abattre le courage ; les forces seraient égales, si l'éducation l'était aussi. Éprouvons-les dans les talents que l'éducation n'a point affaiblis, et nous verrons si nous sommes si forts. "

Il faut l'avouer, quoique cela choque nos mœurs : chez les peuples les plus polis, les femmes ont toujours eu de l'autorité sur leurs maris. Elle fut établie par une loi chez les Égyptiens, en l'honneur d'Isis, et chez les Babyloniens, en l'honneur de Sémiramis. On disait des Romains qu'ils commandaient à toutes les nations, mais qu'ils obéissaient à leurs femmes. Je ne parle point des Sauromates, qui étaient véritablement dans la servitude de ce sexe : ils étaient trop barbares pour que leur exemple puisse être cité.

Tu vois, mon cher Ibben, que j'ai pris le goût de ce pays-ci, où l'on aime à soutenir des opinions extraordinaires et à réduire tout en paradoxe. Le Prophète a décidé la question et a réglé les droits de l'un et de l'autre sexe : " Les femmes, dit-il, doivent honorer leurs maris ; leurs maris les doivent honorer : mais ils ont l'avantage d'un degré sur elles.[1] "

À Paris, le 26 de la lune de Gemmadi 2, 1713. »

MONTESQUIEU, *Lettres persanes.*

QUESTIONS

1. Quel portrait nuancé ce « philosophe très galant » fait-il des relations entre hommes et femmes ? Quelles sont les causes de l'infériorité sociale des femmes ? Quels seraient donc les remèdes ?

---

1. *Coran*, II, 228.

2. Quelles sont les différences entre le jugement du Français et celui du persan ?

3. Comparez ce que Molière et Montesquieu disent de l'éducation chez les femmes.

EDMOND ET JULES DE GONCOURT,
LA FEMME AU XVIIIe SIÈCLE, 1862

La fascination d'un monde disparu

Les frères Goncourt furent des romanciers naturalistes mais aussi des historiens passionnés par le dix-huitième siècle. Si leur Journal *les montre misogynes, ils admiraient pourtant les grandes dames du siècle précédent, ainsi la maréchale de Luxembourg qui fonda « vers les derniers mois de l'année 1750 » « le premier salon de Paris ».*

« Rien n'était épargné par la maréchale pour en faire le centre d'un siècle d'intelligence. Jalouse du bruit, de l'influence de l'hôtel Duras, de l'agrément que lui donnait Pont de Veyle, elle imaginait de décider la duchesse de La Vallière, son amie intime, à donner congé à Jélyotte pour s'attacher le comte de Bissy : et le comte de Bissy, qu'elle faisait entrer à l'Académie par le crédit de Mme de Pompadour, devenait ce personnage de première nécessité, ce meuble de fondation : l'homme d'esprit de la maison. Pourtant le véritable homme d'esprit de ce salon, ce ne fut point Bissy, ce fut la maréchale elle-même, avec son ton si tranché, à la fois sévère et plaisant, ses épigrammes, l'originalité de ses jugements, son autorité sur l'usage, le génie de son goût. Elle appela chez elle le plaisir, l'intérêt, la nouveauté, les lettres, la Harpe, qui venait y lire les *Barmécides*, Gentil Bernard, qui y déclamait son manuscrit de *l'Art d'aimer*. Et à ces distractions, se joignait, dernier agrément, la critique frondeuse, une critique qui ménageait si peu les ministres et la famille royale elle-même, qu'un moment il fut fait défense à Mme de Luxembourg de paraître à la cour.

Là, dans ce salon d'une femme, sous ses leçons, se formait et se constituait cette France si fière d'elle-même, d'une grâce si accomplie, d'une si rare élégance, la France polie du dix-huitième siècle – un monde social qui jusqu'en 1789 allait apparaître au-dessus de toute l'Europe, comme la patrie du goût de tous les États, comme l'école des usages de toutes les nations, comme le modèle des mœurs humaines. Là se fondait la plus grande institution du temps, la seule qui resta forte jusqu'à la Révolution, la seule qui garda, dans le discrédit de toutes les lois morales, l'autorité d'une règle : là se fondait ce qu'on appela *la parfaitement bonne compagnie*, c'est-à-dire une sorte d'association des deux sexes dont le but était de se distinguer de la mauvaise compagnie, des sociétés vulgaires, des sociétés provinciales, par la perfection des moyens de plaire, par la délicatesse de l'amabilité, par l'obligeance des procédés, par l'art des égards, des complaisances, du savoir-vivre, par toutes les recherches et les raffinements de cet esprit de société qu'un livre du temps compare et assimile à l'esprit de charité. Air et usages, façons, étiquette de l'extérieur, la bonne compagnie les fixait ; elle donnait le ton à la conversation ; elle apprenait à louer sans emphase et sans fadeur, à répondre à un éloge sans le dédaigner ni l'accepter, à faire valoir les autres sans paraître les protéger ; elle entrait et faisait entrer ceux qu'elle s'agrégeait dans ces mille finesses de la parole, du tour, de la pensée, du cœur même, qui ne laissaient jamais une discussion aller jusqu'à la dispute, voilaient tout de légèreté et, n'appuyant sur rien plus que n'y appuie l'esprit, empêchaient la médisance de dégénérer en méchanceté toute noire. »

Edmond et Jules de GONCOURT,
La Femme au XVIIIe siècle.

QUESTIONS

1. Dans quels domaines se manifeste l'influence de ce salon ?

2. Quelles sont les qualités de la maréchale ?

3. Quel est « le meuble de fondation » d'un salon du XVIIIe siècle ? Quel serait celui de Philaminte ?

4. Comparez *« la parfaitement bonne compagnie »* au salon de Philaminte.

MADAME DE STAËL, *DE LA LITTÉRATURE,* « DES FEMMES QUI CULTIVENT LES LETTRES », 1800

Une femme d'esprit et de courage

Quand le dix-neuvième siècle s'ouvrit, il fallait une femme pour montrer combien la Révolution n'avait guère amélioré la condition et l'éducation féminines.

« S'il existait une femme séduite par la célébrité de l'esprit, et qui voulût chercher à l'obtenir, combien il serait aisé de l'en détourner s'il en était temps encore ! On lui montrerait à quelle affreuse destinée elle serait prête à se condamner. Examinez l'ordre social, lui dirait-on, et vous verrez bientôt qu'il est tout entier armé contre une femme qui veut s'élever à la hauteur de la réputation des hommes.

Dès qu'une femme est signalée comme une personne distinguée, le public en général est prévenu contre elle. Le vulgaire ne juge jamais que d'après certaines règles communes, auxquelles on peut se tenir sans s'aventurer. Tout ce qui sort de ce cours habituel, déplaît d'abord à ceux qui considèrent la routine de la vie comme la sauvegarde de la médiocrité. Un homme supérieur déjà les effarouche ; mais une femme supérieure, s'éloignant encore plus du chemin frayé, doit étonner, et par conséquent importuner davantage. Néanmoins un homme distingué ayant presque toujours une carrière importante à parcourir, ses talents peuvent devenir utiles aux intérêts de ceux mêmes qui attachent le moins de prix aux charmes de la pensée. L'homme de génie peut devenir un homme puissant, et sous ce rapport, les envieux et les sots le ménagent ; mais une femme spirituelle n'est appelée à leur offrir que ce qui les intéresse le moins, des idées nouvelles ou des sentiments élevés ; sa célébrité n'est qu'un bruit fatigant pour eux. »

Madame de STAËL, *De la littérature*, seconde partie, ch. IV, « Des femmes qui cultivent les lettres ».

QUESTIONS

1. Qu'est-ce qu'une « femme supérieure » pour Mme de Staël ?
2. Quels obstacles cette femme doit-elle affronter pour réussir ?

3. Comparez cette situation à celle des femmes savantes de Molière, aux femmes d'esprit d'aujourd'hui.

S. DE BEAUVOIR, *LE DEUXIÈME SEXE*, 1949

Une féministe et l'histoire : les Muses des Lumières

Le Deuxième Sexe *de Simone de Beauvoir (1908-1986) est le texte de référence du féminisme mondial. En étudiant l'histoire des femmes, l'auteur constate qu'au* XVII*e siècle celles-ci se distinguent « essentiellement dans le domaine intellectuel ». Qu'en est-il au siècle suivant ?*

« Au XVIIIe, la liberté et l'indépendance de la femme grandissent encore. Les mœurs demeurent en principe sévères : la jeune fille ne reçoit qu'une éducation sommaire ; elle est mariée ou mise au couvent sans qu'on la consulte. La bourgeoisie, classe montante dont l'existence se consolide, impose à l'épouse une morale rigoureuse. Mais en revanche la décomposition de la noblesse permet aux femmes du monde les plus grandes licences et la haute bourgeoisie même est contaminée par ces exemples ; ni les couvents ni le foyer conjugal ne réussissent à contenir la femme. Encore une fois, pour la majorité d'entre elles, cette liberté demeure négative et abstraite : elles se bornent à chercher le plaisir. Mais celles qui sont intelligentes et ambitieuses se créent des possibilités d'action. La vie de salon prend un essor neuf : on connaît assez le rôle joué par Mme Geoffrin, Mme du Deffand, Mlle de Lespinasse, Mme d'Épinay, Mme de Tencin ; protectrices, inspiratrices, les femmes constituent le public favori de l'écrivain ; elles s'intéressent personnellement à la littérature, à la philosophie, aux sciences : telles Mme du Châtelet, elles ont leur cabinet de physique, leur laboratoire de chimie, elles expérimentent, elles dissèquent ; elles interviennent plus activement que jamais dans la vie politique ; tour à tour Mme de Prie, Mme de Mailly, Mme de Châteauneuf, Mme de Pompadour, Mme du Barry, gouvernent Louis XV ; il n'est guère de ministre qui n'ait son égérie ; c'est au point que Montesquieu estime qu'en France tout se fait par les femmes ; elles constituent, dit-il, “ un nouvel État dans l'État ” ; et Collé écrit à la veille de 1789 : “ Elles ont tellement pris le dessus chez les Français, elles les ont tellement subjugués qu'ils ne pensent et ne sentent que d'après elles. ” À côté des femmes de la société, il y a aussi des actrices et des femmes galantes qui jouissent d'une vaste renommée : Sophie Arnould, Julie Talma, Adrienne Lecouvreur. »

Simone de BEAUVOIR, *Le Deuxième Sexe*, « Folio »
(1re éd. 1949, renouvelée en 1976) © Éditions Gallimard.

QUESTIONS

1. Sur quel plan les femmes sont-elles plus libres qu'au temps de Molière ?

2. Dans quels domaines interviennent-elles ?

3. Les femmes du XVIIIe siècle partagent-elles les mêmes ambitions, les mêmes rêves que Philaminte, Armande et Bélise (voir en particulier acte III, sc. 2, v. 844-876, 909-918, 922-926) ?

Sujets de Bac

QUESTIONS

1. Quelle évolution peut-on relever quant au jugement porté au fil des siècles sur les femmes et la connaissance ?

2. L'affaire vous semble-t-elle aujourd'hui réglée, le procès clos ?

COMMENTAIRE

Vous commenterez le texte de Montesquieu.

DISSERTATION

En un développement ordonné, vous direz quels sont, selon vous, les enjeux de la satire. Vous justifierez votre argumentation en vous référant au corpus ci-dessus et à votre culture personnelle.

ÉCRITURE D'INVENTION

En vous inspirant par exemple du texte de La Fontaine, faites le portrait parodique d'une coquette d'aujourd'hui.

LECTURES DES *FEMMES SAVANTES*

Le *Mercure galant* fut fondé en 1672 par Donneau de Visé. Chaque volume était un mélange de prose et de poésie, comportait des comptes rendus littéraires et scientifiques, présentait des spectacles.

> « On [...] est bien diverti tantôt par ses *Précieuses* ou *Femmes savantes*, tantôt par les agréables railleries d'une certaine Henriette et puis par les ridicules imaginations d'une visionnaire qui se veut persuader que tout le monde est amoureux d'elle. Je ne parle point du caractère d'un père qui veut faire croire qu'il est le maître dans sa maison, qui se fait fort de tout quand il est seul et qui cède tout dès que sa femme paraît. Je ne dis rien aussi du personnage de Monsieur Trissotin qui, tout rempli de son savoir et tout gonflé de la gloire qu'il croit avoir méritée, paraît si plein de confiance de lui-même qu'il voit tout le genre humain fort au-dessous de lui. Le ridicule entêtement qu'une mère que la lecture a gâtée fait voir pour ce Monsieur Trissotin n'est pas moins plaisant, et cet entêtement, aussi fort que celui du père dans *Tartuffe*, durerait toujours si, par un artifice ingénieux d'un procès perdu et d'une banqueroute (qui n'est pas d'une moins belle invention que l'Exempt dans *L'Imposteur*), un frère qui, quoique bien jeune, paraît l'homme du monde du meilleur sens ne le venait faire cesser, en faisant le dénouement de la pièce. Il y a au troisième acte une querelle entre ce Monsieur Trissotin et un autre savant qui divertit beaucoup ; et il y a au dernier un retour d'une certaine Martine, servante de cuisine, qui avait été chassée au premier, qui fait extrêmement rire l'assemblée par un nombre infini de jolies choses qu'elle dit en son patois pour prouver que les hommes doivent avoir la préférence sur les femmes. Voilà confusément ce qu'il y a de plus considérable dans cette comédie, beaucoup d'expressions heureuses et beaucoup de manières de parler heureuses et hardies, dont l'invention ne peut être assez louée et qui ne peuvent être imitées. »
>
> *Mercure galant*, 25 mai 1672.

Bussy-Rabutin (1618-1693), auteur de l'*Histoire amoureuse des Gaules*, fut aussi un remarquable épistolier. Il eut entre autres comme correspondants sa cousine, Madame de Sévigné, et les pères Rapin et Bouhours. Il donne ici le jugement d'un homme cultivé mais aussi épris de réalisme.

« Pour la comédie des *Femmes savantes*, je l'ai trouvée un des plus beaux ouvrages de Molière ; la première scène des deux sœurs est plaisante et naturelle ; celle de Trissotin et de Vadius, le caractère de ce mari qui n'a pas la force de résister en face aux volontés de sa femme et qui fait le méchant quand il ne la voit pas ; ce personnage d'Ariste, homme de bon sens et plein d'une droite raison, tout cela est incomparable. Cependant, comme vous remarquez fort bien, il y avait d'autres ridicules à donner à ces savantes plus naturels que ceux que Molière leur a donnés. Le caractère de Bélise est une faible copie d'une des femmes de la comédie des *Visionnaires* ; il y en a d'assez folles pour croire que tout le monde est amoureux d'elles, mais il n'y en a point qui entreprennent de le persuader à leurs amants malgré eux.

Le caractère de Philaminte avec Martine n'est pas naturel ; il n'est pas vraisemblable qu'une femme fasse tant de bruit et enfin chasse sa servante parce qu'elle ne parle pas bien français ; et il l'est moins encore que cette servante, après avoir dit mille méchants mots, comme elle doit dire, en dise de fort bons et d'extraordinaires comme quand Martine dit :

L'esprit n'est pas du tout ce qu'il faut en ménage ;
Les livres cadrent mal avec le mariage.

Il n'y a point de jugement de faire dire le mot de *cadrer* par une servante qui parle fort mal, quoiqu'elle puisse avoir du bon sens.

Mais enfin, pour parler juste de cette comédie, les beautés en sont grandes et sans nombre et les défauts rares et petits.

Lettre de Bussy-Rabutin au père Rapin, 11 avril 1673,
citée par G. Mongrédien, *Molière, recueil des textes et des documents du* XVIIe *siècle*, CNRS, 1973.

Au XVIIIe siècle, le même *Mercure*, à propos d'une reprise de la pièce, fait l'éloge de Molière pour avoir « relevé toutes ces nuances d'un savoir ridicule, par la simplicité d'un mari bourgeois, par l'esprit naturel d'une fille cadette, ennemie de toute affectation, par le bon sens d'un amant honnête homme, et par la naïveté d'une servante villageoise. »

Le Mercure, juillet 1723.

Si Marivaux n'appréciait guère Molière, Voltaire en fait un éloge nuancé.

> « Il a été un temps en France, et même dans toute l'Europe, où les hommes pensaient déroger, et les femmes sortir de leur état, en osant s'instruire. Les uns ne se croyaient nés que pour la guerre, ou pour l'oisiveté ; et les autres, que pour la coquetterie.
> Le ridicule même que Molière et Despréaux[1] ont jeté sur les femmes savantes, a semblé dans un siècle poli, justifier les préjugés de la barbarie. Mais Molière, ce législateur dans la morale et dans les bienséances du monde, n'a pas assurément prétendu, en attaquant les femmes savantes, se moquer de la science et de l'esprit. Il n'en a joué que l'abus et l'affectation. »

VOLTAIRE, *Épître à Mme la Marquise du Châtelet*, 1736.

S'il « admira comment Molière avait pu jeter tant de comique sur un sujet qui paraissait fournir plus de pédanterie que d'agrément », le critique impitoyable de Fréron lui reprocha pourtant comme à Boileau, ses attaques contre Cotin. Il y voit en effet le « triste effet d'une liberté plus dangereuse qu'utile, et qui flatte plus la malignité humaine qu'elle n'inspire le bon goût ». Pour lui, en effet, « la meilleure satire qu'on puisse faire des mauvais poètes, c'est de donner d'excellents ouvrages. Molière et Despréaux n'avaient pas besoin d'y ajouter des injures. »

VOLTAIRE cité dans l'édition Hachette
des *Œuvres complètes de Molière*, 1886.

La Harpe juge, comme Voltaire, que « le sujet des *Femmes savantes* paraissait bien peu susceptible [d'un comique divertissant et d'un comique moral]. Il était difficile de remplir cinq actes avec un ridicule aussi mince et aussi facile à épuiser que celui de la prétention au bel esprit. Molière qui l'avait déjà attaqué dans *Les Précieuses ridicules* l'acheva dans *Les Femmes savantes.* […] On s'aperçut de toutes les ressources que Molière avait tirées de son génie pour enrichir l'indigence de son sujet. »

LA HARPE, *Molière et la comédie*,
in *Cours de littérature ancienne et moderne*, 1786.

---

1. Boileau.

Au XIXe siècle, le plus célèbre critique du temps appelle les Anciens à son secours pour mêler le compliment envers Molière à une douce misogynie.

« Puissé-je avoir un petit foyer, un toit simple qui ne craigne point la fumée, une source d'eau vive auprès, et l'herbe de la prairie ! Et avec cela que j'aie un domestique bien nourri, une femme *qui ne soit pas trop savante* ; la nuit, du sommeil, et le jour point de procès ! » Juvénal n'est pas moins disposé que lui pour les femmes savantes ; il veut, au besoin, pouvoir faire un solécisme sans être repris. Cette manière de voir qui est celle de toute une classe d'esprits vigoureux et francs, a été poussée à fond et couronnée du génie même de la gaieté par Molière, en son immortelle comédie. »

SAINTE-BEUVE, *Causeries du lundi*, t. 9, lundi 6 mars 1854.

Molière aurait-il apprécié le compliment qui suit ? Une comédie doit-elle être « correcte » et « calme » ?

« La comédie la plus correcte, la plus calme, la plus régulière qu'il eût écrite. »

Louis MOLAND, *Œuvres complètes de Molière*,
tome XI, Paris, 1884.

L'éloge est classique. Il distingue l'art du portrait, l'action et le style, la charge effectuée dans les règles. Trop classique ?

Vive peinture des mœurs, où la plupart des portraits sont autant de chefs-d'œuvre, satire toute en action, qui, à aucun moment, ne s'égare hors des conditions du théâtre, perfection du style où jamais le poète n'avait mieux atteint ; il y faut tout admirer.

Eugène DESPOIS et Paul MESNARD,
Œuvres de Molière, Paris, Hachette, 1873-1900.

Au XXe siècle, les avis divergent.

Pour Antoine Adam, « cette œuvre trop soignée est sans verve. Molière ne s'amuse pas. Il a placé près de Chrysale sa servante

Martine. Comme elle est terne et ennuyeuse ! [...] Les caractères ne sont même pas cohérents. [...] La pensée même n'est pas nette. » Seuls trouvent grâce à ses yeux « la grande et admirable scène du Ve acte entre Trissotin et Henriette » et le personnage de Philaminte, une « Madame Verdurin criante de vérité » qui « empêche l'œuvre de s'effondrer » et transforme « cette comédie manquée » en « drame bourgeois qui se tient. »

Antoine ADAM, *Histoire de la littérature française*, tome 2, Paris, Albin Michel, 1997, pp. 798-800 (1re éd. 1952).

Il ne peut y avoir pires reproches : une comédie qui ne fait pas essentiellement rire, une comédie dépassée, du passé.

« Dans *Les Femmes savantes*, " le rire se disperse en quelque sorte à la périphérie. Il n'intervient guère par exemple dans le grand débat de la pièce, celui de l'ange et de la bête, du corps et de l'esprit ". La pièce " constitue selon nous dans l'œuvre de Molière une survivance du passé, en quelque sorte la partie morte de son art, celle dans laquelle il ne peut plus, au mieux, que *reproduire*, et non pas *inventer*." »

Gérard DEFAUX, *Molière ou les Métamorphoses du comique*, Paris, Klincksiek, 1992.

Il existe aussi une critique plus féministe, qui paraît ainsi répondre aux propos de Sainte-Beuve.

« Les *Femmes savantes* n'attaquent pas les femmes sur le principe de leur savoir, mais sur la façon dont certains l'étalent, sur la mauvaise qualité d'une science mal enseignée, mal comprise, mal assimilée. [...] Molière le provocateur n'a pas craint de faire tort à une bonne cause en dénonçant les contrefaçons qu'elle suscite. Le ridicule qu'il fait tomber sur ses « femmes savantes » – les femmes savantes de sa pièce – risque de retomber sur toutes les femmes désireuses de savoir. Il se retrouve, du même coup, l'allié des pires tenants du passé, de ceux qu'il a si vivement attaqués dans ses deux *Écoles*. Lors d'un combat difficile pour un progrès certain, est-il opportun d'entraver le succès d'une bonne cause en fournissant des arguments à ses adversaires ? »

Roger DUCHÊNE, *Molière* © Librairie Arthème Fayard, 1998.

Pour d'autres au contraire, des metteurs en scène en particulier,

« C'est la comédie la plus parfaite qu'ait produite à ce jour : le théâtre français.

Transgressant pour la première fois – pour la dernière aussi – la loi du personnage principal, l'auteur dans la pureté d'un style jamais atteint jusqu'alors, fait s'affronter à propos d'une situation simple, dix caractères admirablement proportionnés à leur rôle.

Point d'artifices, point de chevilles, point de hors-d'œuvre. »

Jean MEYER, *Œuvres complètes de Molière*,
Paris, Maurice Gonon, 1970.

Certains poussent même le paradoxe : une comédie doit-elle être jugée à la seule aune du rire ?

« Plus encore peut-être que dans *Tartuffe*, l'existence, le poids, la pression de la famille avec ses non-dits, ses codes, sa complexité, sont ici formidablement traités. Rien n'est véritablement expliqué, dévoilé des secrets de cette famille, mais rêver à propos des relations que chacun de ses membres noue avec les autres, ouvre des perspectives passionnantes du point de vue de la mise en scène.
Molière nous a souvent dépeint un milieu familial dissocié par la folie, la passion ou le vice de son chef, mais pour la première et seule fois d'ailleurs, ce chef de famille est une femme, et cette femme a pris un tel ascendant sur son mari que celui-ci semble avoir renoncé à ses prérogatives, tacitement du moins : ces choses-là ne sont jamais clairement explicitées. »

Simon EINE, metteur en scène des *Femmes savantes*
à la Comédie-Française, septembre 1998.

LIRE, VOIR, ENTENDRE...

Bibliographie

– *Les Femmes savantes, Le Malade imaginaire*, éd. de Pierre Ronzeaud, « Textes et contextes », Paris, Magnard, 1992.
Un dossier important suit les textes (sources, réception, mises en scène, les femmes au XVIIe siècle, l'amour et le mariage, etc.).

– René Bray, *Molière homme de théâtre*, Paris, Le Seuil, Mercure de France, 1954. Le titre de ce grand classique définit son ambition : rappeler que Molière, s'il est auteur, est d'abord directeur de troupe, metteur en scène et acteur.

– Alfred Simon, *Molière*, Paris, Le Seuil, « Écrivains de toujours », 1996. Une référence. Un Molière vivant, une belle iconographie, une édition enrichie par rapport à l'originale de 1957.

– *L'Avant-Scène*, n° 409-410, 1-15 septembre 1968.
Un numéro spécial Comédie-Française avec un dossier très complet sur *Les Femmes savantes* : jugements, portrait et choix des acteurs principaux depuis l'origine, etc.

– *Molière et compagnie*, TDC, n° 598-599, 13 novembre 1991. Des articles et des documents clairs et attrayants sur le directeur de troupe et l'auteur. Le point sur les pièces principales. Une iconographie souvent originale.

Documents audio

– *Les Femmes savantes.* Deux cassettes, Encyclopédie sonore Hachette,« La Vie du théâtre » 1982. F. Ledoux-Chrysale, F. Rosay-Philaminte, M. Bouquet-Trissotin, R. Varte-Martine, P. Vaneck-Vadius, etc.

De grandes voix, une diction parfaite, un Trissotin particulièrement réjouissant.

Documents vidéo

– *Les Femmes savantes*, mise en scène de Jean-Paul Roussillon, Comédie-Française, INA-FILM office, 1978. L. Arbessier-Chrysale, F. Seigner-Philaminte, D. Gence-Bélise, J.-L. Boutté-Trissotin, J. Sereys-Vadius.

Les couleurs sombres, le jeu retenu traduisent le choix d'une lecture sérieuse de la comédie.

– *Les Femmes savantes*, mise en scène de Simon Eine, réalisation de Georges Bensoussan, « Comédie-Française », 1998.

Une mise en scène aérée, un superbe décor, une Philaminte sensuelle aussi, une Armande longtemps garçonne, une Bélise folle à plaisir (C. Samie), un Trissotin frère de Tartuffe.

LES TERMES DE CRITIQUE

Académie (v. 846) : le mot vient du grec *akademia*, jardin d'Akadémos où Platon enseignait la philosophie. Au XVIIe siècle, les académies se développent, qu'elles soient voulues par le pouvoir royal comme instrument de sa politique, ou qu'elles soient privées et chargées de propager les idées nouvelles. Elles ne sont ouvertes qu'aux hommes, mais le terme « académicienne » est pour la première fois présent dans le *Dictionnaire* de Richelet de 1680. Dans leur académie, les femmes savantes veulent réaliser un projet linguistique et philosophique. L'académie est une des formes que prend leur volonté de maîtriser leur destin.

Acte : avec la scène, l'acte est une division de la pièce de théâtre depuis le XVIe siècle. À l'époque classique, la tragédie comporte cinq actes, et la comédie trois ou cinq. Aujourd'hui, les auteurs sont plus libres à l'égard de ces conventions ; ils gardent la distinction en actes, sans nombre imposé (*En attendant Godot* de Beckett, en deux actes). Ils empruntent aux autres arts les « tableaux » (*Rhinocéros* d'Ionesco), les séquences, et divisent leurs pièces en parties (*Tête d'or* de Claudel) ou en journées *(Le Soulier de Satin)*. Voir **Scène**.

Âme (v. 69, 107, 207, 276, 615) : le mot est présent 25 fois dans la pièce. Il s'oppose d'abord au corps, à la matière, alors que pour Clitandre les deux « marchent de compagnie » (v. 1218). Il a ensuite une valeur morale : Henriette parle de « fermeté d'âme » (v. 1553), Philaminte demande à Chrysale de faire paraître « une âme moins commune » (v. 1697). Il est aussi synonyme de « cœur », en particulier chez Philaminte (« C'est le nom de rival qui dans votre âme excite... », v. 1385). Il désigne enfin l'amour pur, idéal, opposé aux « grossiers plaisirs » des sens.

HENRIETTE. – Nous saurons toutes deux imiter notre mère :
Vous du côté de l'âme et des nobles désirs,
Moi du côté des sens et des grossiers plaisirs » (v. 68-70).

Apprendre (v. 482) : les femmes savantes sont des militantes, des apôtres de la connaissance, des pédagogues. Il s'agit donc pour elles d'« apprendre », c'est-à-dire accepter un enseignement (v. 499) mais aussi « instruire » (v. 472), multiplier les « leçons ». Sans public, déçues par une élève rebelle, Henriette, qu'elles voudraient paradoxalement confier à un homme pour la sauver de l'ignorance, elles se rabattent sur les domestiques, et leur maison devient une école. Philaminte fait avec succès la leçon à Julien (« Apprenez, mon ami », v. 1390), mais elle échoue auprès de L'Épine (v. 737-738), et surtout de Martine (comme Bélise d'ailleurs : v. 480-484).

Burlesque : vient de l'italien *burla*, plaisanterie. Ce type de comique naît d'un contraste entre la dignité du sujet et des personnages, et leur façon de parler ordinaire, le style de l'œuvre. Plus largement, est burlesque « ce qui provoque le rire par une sorte de charge, caricature » (Littré). C'est en particulier ici le cas de Bélise.

Champ lexical : ensemble des mots désignant une même idée ou un même domaine et permettant la mise en relief d'un thème important du texte (voir I, 3).

Cœur (v. 122, 129...) : les Grecs faisaient de cet organe du corps le siège du courage et de la volonté morale, de l'intelligence aussi. Il incarne la sensibilité et l'amour. Dès l'instant où le mariage et l'amour sont un élément dramatique et un sujet de discussion centraux, le mot « cœur » est donc... au cœur de la pièce. Henriette l'emploie métaphoriquement (« expliquez votre cœur », v. 122), mais aussi Armande qui parle d'« union des cœurs » (v. 1196), et Trissotin :

« C'est mon esprit qui parle, et ce n'est pas mon cœur » (v. 1524).

« En fonction de sujet d'un verbe actif », le mot est employé avec « une grande variété de verbes habituellement employés pour des sujets animés : "déclare, s'attache, consacre une flamme immortelle, est épris, est ébranlé, s'émeut" » (H. de Phalèse, *Les Mots de Molière*, Paris, Nizet, 1992).

Coup de théâtre : événement important mais inattendu qui modifie profondément le cours de l'intrigue et de l'action. Ici, les lettres d'Ariste.

Deus ex machina, le « dieu qui sort d'une machine » : technique de théâtre dans laquelle un dieu ou un personnage descend du ciel sur une machine pour intervenir de façon imprévue. Par extension, qualifie toute péripétie survenant de façon invraisemblable.

Didascalie : on désigne ainsi toute indication scénique précisant le jeu des acteurs (voir par exemple : acte I, sc. 2 : Clitandre *« à Armande »*, puis *« montrant Henriette »*). Ces indications, relativement rares dans *Les Femmes savantes*, sont postérieures à Molière. Celui-ci, en effet, dans sa mise en scène orale (voir *L'Impromptu de Versailles*), se préoccupait peu des détails d'impression de ses pièces.

Dramaturgie : c'est la mise en œuvre d'une action théâtrale : organisation de l'intrigue, relations entre les personnages, répartition des personnages entre les scènes, définition des enjeux, alternance des scènes fortes et des autres scènes.

Esprit (v. 55, 85) : il est avec le cœur, et plus que lui, le pôle de la vie des femmes savantes. Il se nourrit de science, de littérature et de philosophie, et développe un large champ lexical par antinomies

(« ignorance » et « ignorant », « nigaud », « sot »), par synonymies (« raison », « raisonner », « lumières ») ; il suscite aussi l'emploi de termes critiques (« pédant », « pédanterie ») chez les adversaires des « docteurs ». Il définit bien le ciel des idées, la spiritualité haute et durable par opposition à la terre des soucis et des biens matériels, à la bassesse du corps éphémère (Armande, v. 26-36) ; Philaminte, v. 535-541 ; Bélise, v. 544 ; Clitandre, v. 1220). On comprend dès lors que l'esprit commande pour les savantes la conception de l'amour, « union des cœurs où les corps n'entrent pas », que Philaminte veuille faire épouser Henriette à Trissotin pour lui « faire avoir » de l'esprit (v. 1052). Il justifie enfin le pouvoir social : Philaminte montrera à Henriette *« qui doit* gouverner, ou sa mère ou son père / Ou l'esprit ou le corps, la forme ou la matière » (v. 1129-1130).

Honnête homme : né au XVIIe siècle, ce concept définit un homme de qualité et de qualités, un gentilhomme soucieux d'éthique, respectueux des bienséances. Comme « il ne se pique de rien » (La Rochefoucauld), il s'oppose au pédant, au docte ostentatoire. Il incarne le goût et peu à peu se rapproche de l'homme du monde, de l'homme de cour, idéal social et maître en bons usages. Clitandre l'incarne parfaitement.

Philosophie : le mot est cher aux femmes savantes. Armande rappelle ainsi à sa mère de quel « solide secours » peut être la philosophie (v. 1146) ; Philaminte en écho, lointain, réplique à sa fille qu'elle a « l'appui de la philosophie » (v. 1772). Il symbolise deux préoccupations des « femmes docteurs » : une culture antique mais aussi moderne (Descartes) et à prétention universelle, comme le prouvent l'éclectisme de leur projet et une attitude morale faite de fermeté, de résistance aux revers de fortune (Armande, IV, 2 ; Philaminte, V, 4). Il organise un champ lexical important comprenant des noms de philosophes anciens (Platon, Épicure, etc.) ou contemporains (Descartes), d'écoles (les stoïciens), de doctrines (platonisme, péripatétisme), des mots désignant des domaines de l'esprit (morale, sage, sagesse). Mais « philosophie » est parfois employé de façon ironique, comme chez Vadius parlant de Trissotin : « sa philosophie n'en veut qu'à vos richesses » (IV, 4).
En revanche, les faits peuvent confirmer les principes philosophiques, comme chez Philaminte (scène dernière).

Préciosité : née d'une réaction contre la vulgarité de la cour d'Henri IV, elle se caractérise par une recherche d'élégance dans l'expression des sentiments. Dès 1610, la marquise de Rambouillet reçoit dans son hôtel particulier grands seigneurs, hommes de lettres et femmes du monde. Elle fut suivie par Mlle de Scudéry, Mme de Sablé ou la Grande Mademoiselle. Si elle inspira une conception de l'amour héritière de celle de l'amour courtois (*cf.* par exemple le roman pastoral *L'Astrée* d'Honoré d'Urfé ou *Le Grand Cyrus* de Mlle de Scudéry (1649-1653), la préciosité tomba cependant vite dans des excès de raffinement, des jeux d'esprit, des artifices de langage qui l'exposèrent à la moquerie. Bélise est une précieuse caricaturale.

Quiproquo (ou méprise) : c'est prendre une personne ou une chose pour une autre ; Bélise par exemple croit que Clitandre l'aime (acte I, sc. 4).

Romanesque : au théâtre est dite romanesque une aventure extraordinaire racontée dans un récit, qui peut modifier le cours de l'intrigue. Désigne également l'attitude d'esprit qui se complaît dans l'imagination d'aventures sentimentales (ici, Bélise).

Scène : dans l'esthétique classique, le passage d'une scène à une autre est marqué par l'entrée ou la sortie d'un ou de plusieurs personnages.

Stichomythie : dialogue où les personnages se répondent vers à vers (acte IV, sc. 3, Trissotin-Clitandre, v. 1289-1304).

Tirade : mot formé sur le verbe « tirer ». « Tout d'une tirade » voulait dire « d'un trait ». Introduit dans le vocabulaire théâtral au XVIIe siècle pour désigner une longue prise de parole d'un personnage (acte I, sc. 1, Armande : v. 26-52 ; acte II, sc. 7, Chrysale : v. 558-614).

POUR MIEUX EXPLOITER LES QUESTIONNAIRES

Ce tableau fournit la liste des rubriques utilisées dans les questionnaires, avec les renvois aux pages correspondantes, de façon à permettre des **études d'ensemble** sur tel ou tel de ces aspects (par exemple dans le cadre de la lecture suivie).

RUBRIQUES	PAGES				
	Acte I	Acte II	Acte III	Acte IV	Acte V
GENRES			95		
MISE EN SCÈNE	41, 48		95, 104		
PERSONNAGES	37,41, 44, 48, 49	55, 59, 66, 72, 78, 79	104, 110, 111	118, 124	135, 144, 150, 151
REGISTRES ET TONALITÉS	37, 44, 48	55, 66, 79	95, 96, 110	118, 124, 130	135, 144, 150
SOCIÉTÉ	37, 41, 48	59, 79	95, 96, 104, 111	124, 130	151
STRATÉGIES	37, 49	55, 59, 66, 72, 78	96, 111	118, 130	135, 144, 151
STRUCTURES	37, 41, 44, 49	55, 66, 79	96, 104, 110	118, 124	144, 150, 151
THÈMES	37, 48	59, 72	96		135, 144

TABLE DES MATIÈRES

L'UNIVERS DE L'ŒUVRE

ANNEXES

Les photographies de cette édition sont tirées des mises en scène suivantes :

Mise en scène de Jean Vilar, théâtre Récamier, 1960. – Mise en scène de Jean-Paul Roussillon, Comédie-Française, 1982. – Mise en scène de Françoise Seigner, théâtre de Boulogne-Billancourt, 1986. – Mise en scène de Catherine Hiégel, la Comédie-Française au théâtre de la Porte Saint-Martin, 1987. – Mise en scène de Simon Eine, Comédie-Française, 1998. – Mise en scène de Béatrice Agenin, théâtre 13, 2000.

COUVERTURE : Catherine Salviat (BÉLISE), Alain Lahaye (VALET), Claire Vernet (PHILAMINTE), Sylvia Berger (ARMANDE) dans la mise en scène de Simon Eine, Comédie-Française, 1998.

CRÉDITS PHOTO :

Couverture : Ph. © Pascal Maine – p.2 : Ph. © RMN – p.3 : Ph. © Bridgeman-Giraudon/Lauros – p.4 ht : Ph. Coll. Archives Larbor – p.4 bas : Ph. Coll. Archives Larbor/T – p.5 : Ph. L. Joubert © Archives Larbor/T – p.6 : Ph. © Bulloz/RMN – p.7 ht : Ph. © RMN – p.7 bas : Ph. © Ojeda/RMN – p.8 ht : Ph. © Bernand/T – p.8 bas : Ph. © Bernand/T – p.9 : Ph. © Bernand/T – p.10 : Ph. © A. Varda/Enguerand/T – p.11 : Ph. © Enguerand – p.12 : Ph. © Pascal Maine – p.13 : Ph. © Pascal Maine – p.14 : Ph. © P. Coqueux/Specto/T – p.15 : Ph. © Pascal Maine – p.16 : Ph. © Archives Nathan – p.21 : Ph. Coll. Archives Larbor – p.28 : Ph. © Bibliothèque de la Comédie-Française/T.

Direction éditoriale : Pascale Magni – *Coordination* : Franck Henry – *Édition* : Stéphanie Jouan – *Révision des textes* : Lucie Martinet – *Iconographie* : Christine Varin – *Maquette intérieure* : Josiane Sayaphoum – *Fabrication* : Jean-Philippe Dore – *Compogravure* : PPC .

 – ISBN : 2-04-730367-2

Imprimé en France par France Quercy – N° de projet : 10098464 – Dépôt légal : juillet 2003